Apprends l'anglais **Pas à Pas**

dès 7 ans

Geneviève Waite
Enseignante

Illustrée par
Jean-Michel Lasausa, Tralalère

Avec un site Internet
www.hatierpasapas.com

Présentation de l'ouvrage

La méthode d'anglais Pas à Pas est une méthode innovante et très progressive, pour débuter l'anglais en CE1, CE2, CM1 ou CM2.

Innovante

La méthode est composée d'un livre et d'un site Internet. Elle permet donc à l'enfant d'associer le son et l'image animée à la lecture du livre. L'enfant peut écouter les dialogues, les mots, les chansons. Le site lui propose également des activités ludiques et lui permet d'être actif dans son apprentissage de la langue. L'association livre + site démultiplie ainsi les possibilités d'activités.

Progressive

Cette méthode est très progressive, le vocabulaire simple. L'objectif est de donner aux enfants les premières notions de la langue, tout le long d'une histoire amusante à découvrir.

L'histoire et les personnages

Avec Chloé et Sébastien, l'enfant se lance dans une grande aventure à Londres où il apprend au fur et à mesure à parler et écrire en anglais. À la fin de l'ouvrage, il aura assimilé un large vocabulaire qui lui permettra de résoudre une énigme... en anglais !

Le contenu de l'ouvrage

Le déroulé des 14 chapitres est ponctué de pages de **révision**. Des pages d'**informations culturelles** permettent à l'enfant de découvrir différents aspects de la civilisation anglophone. En fin d'ouvrage se trouvent tout le **vocabulaire** de l'ouvrage classé par ordre alphabétique, les **corrigés** des jeux et des exercices, ainsi que les **textes traduits** des dialogues et des chansons.

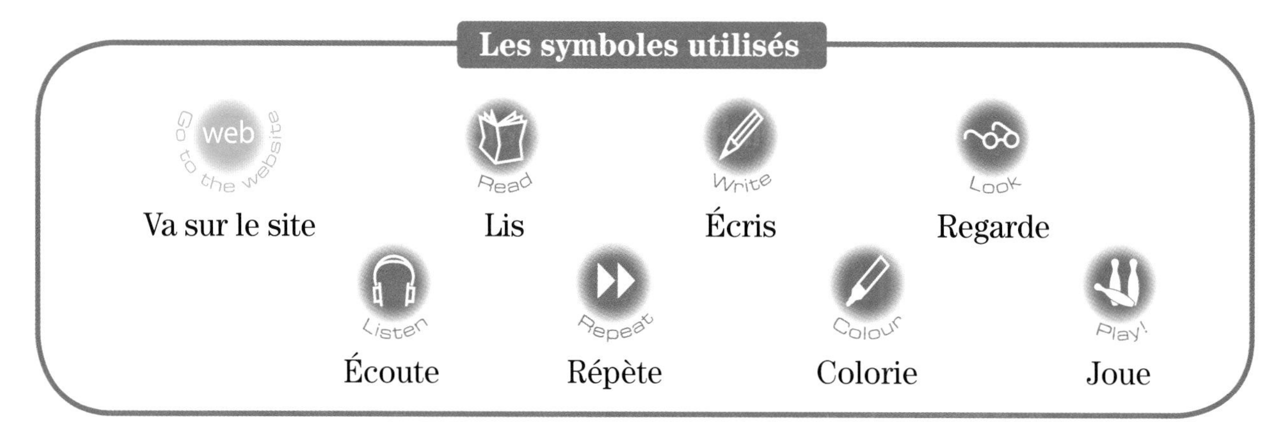

Conception graphique et mise en page : Al'Solo

Photos : p. 30-31 : reine Elizabeth II Ph © Claver Carroll / Age Fotostock, Big Ben Ph © Steve Dunwell / Age Fotostock. Autres photos : Ph © Archives Hatier.
p. 50-51 : macareux Ph © James Prout / Age Fotostock, aigle Ph © Alaska Stock / Age Fotostock, élan Ph © Ron Erwin / Age Fotostock, kiwi Ph © Ralph Talmont / Age Fotostock. Autres photos : Ph © Archives Hatier.

Présentation d'un chapitre

Le symbole WEB positionné au-dessus de certaines rubriques invite l'enfant à se rendre sur le site Internet.

Key words : ce sont les mots de vocabulaire à apprendre dans ce chapitre.

Logo WEB. L'enfant peut donc écouter les mots sur le site.

Le ou les thèmes abordés dans le chapitre.

L'introduction du chapitre est en français, le dialogue est en anglais.

Dans cet encadré : une notion de grammaire expliquée très simplement.

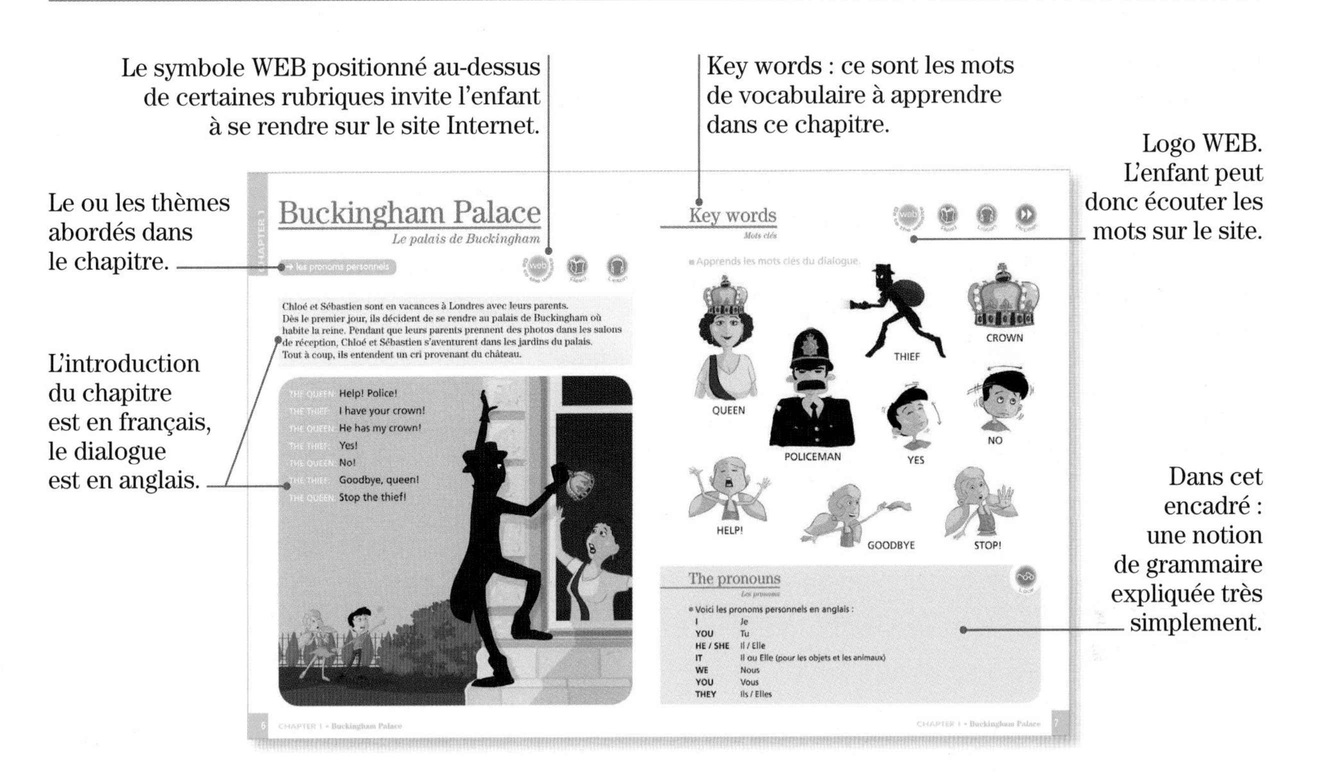

Dans cette page : une chanson et un jeu ou un grand jeu seul.

Logo WEB. L'enfant peut donc écouter la chanson sur le site et même chanter sur la version instrumentale.

Le chapitre se termine par deux exercices qui permettent d'approfondir les notions de vocabulaire et/ou de grammaire.

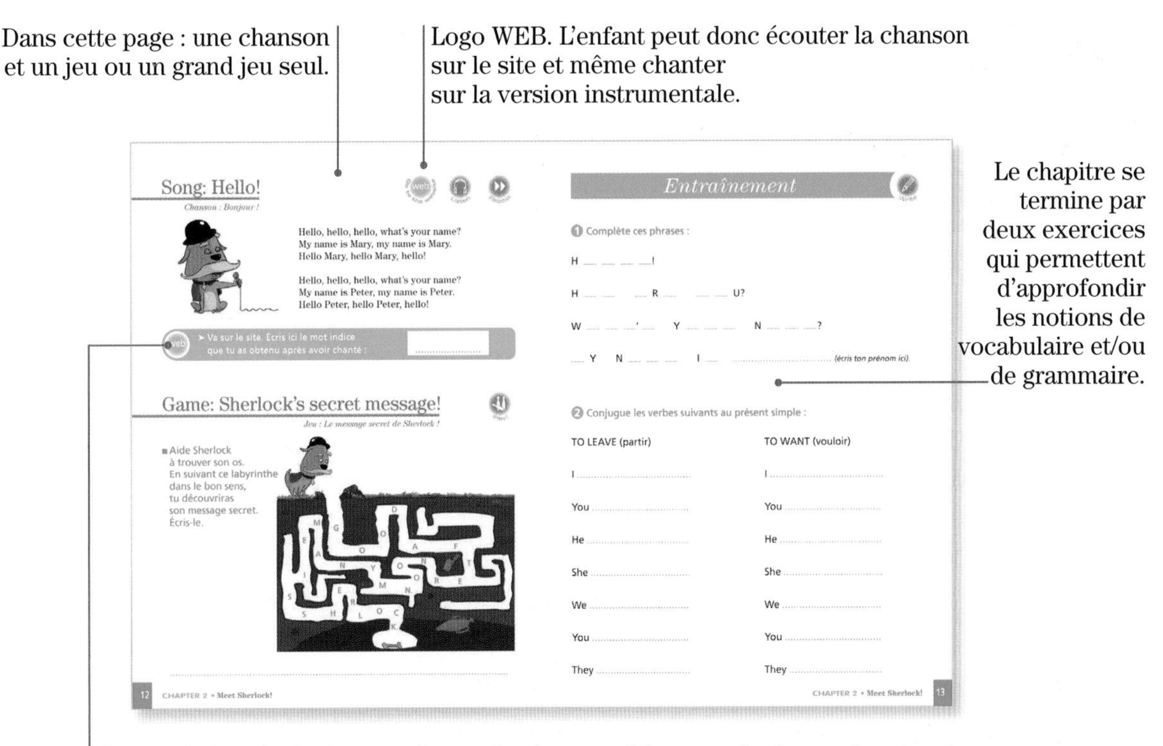

Cette rubrique invite à se rendre sur le site pour faire un autre jeu ou écouter et chanter la chanson. À la fin de ce jeu ou de la version instrumentale de la chanson, l'enfant obtient un **mot mystère** qu'il doit écrire ici sur le livre pour s'en souvenir. Les mots mystères permettront de démasquer le coupable au 14ᵉ chapitre.

Sommaire

♪ Dans ce chapitre, tu pourras chanter en anglais !
✗ Coche la case quand tu as fini le chapitre.

Pages	Titre	Vocabulaire	Grammaire	✗
p. 2 - 3	Présentation de l'ouvrage. Présentation d'un chapitre.			
p. 5	Londres			
CHAPTER 1 p. 6 - 7 - 8 - 9	Buckingham Palace *Le palais de Buckingham*	les mots du dialogue	les pronoms personnels	○
CHAPTER 2 p. 10 - 11 - 12 - 13	Meet Sherlock! *À la rencontre de Sherlock !*	dire bonjour, engager une conversation ♪	le présent simple	○
CHAPTER 3 p. 14 - 15 - 16 - 17	Who are you? *Qui es-tu ? Qui êtes-vous ?*	se présenter, poser des questions	les mots interrogatifs	○
CHAPTER 4 p. 18 - 19 - 20 - 21	The Big Clock *La grande horloge*	les chiffres ♪	les adjectifs	○
CHAPTER 5 p. 22 - 23 - 24 - 25	Piccadilly Circus *Piccadilly Circus*	les couleurs	l'article défini et l'article indéfini	○
CHAPTER 6 p. 26 - 27 - 28 - 29	The Tower of London *La Tour de Londres*	les parties du corps	le verbe avoir (to have)	○
p. 30 - 31	Cultural information. *Informations culturelles*			○
p. 32 - 33	Révisions des chapitres 1 à 6			○
CHAPTER 7 p. 34 - 35 - 36 - 37	A Newspaper Article *Un article de journal*	les jours, les mois, la météo ♪	le pluriel des noms	○
CHAPTER 8 p. 38 - 39 - 40 - 41	The Squirrels *La famille Écureuil*	la famille	le verbe être (to be)	○
CHAPTER 9 p. 42 - 43 - 44 - 45	A Football Game *Un match de foot*	les sports et les verbes d'action	savoir faire / pouvoir faire (can et can't)	○
CHAPTER 10 p. 46 - 47 - 48 - 49	London Zoo *Le zoo de Londres*	les animaux ♪	les démonstratifs	○
p. 50 - 51	Cultural information. *Informations culturelles*			○
p. 52 - 53	Révisions des chapitres 7 à 10			○
CHAPTER 11 p. 54 - 55 - 56 - 57	Tea Time *L'heure du thé*	les aliments	aimer / ne pas aimer (to like / not to like)	○
CHAPTER 12 p. 58 - 59 - 60 - 61	The Stolen Watch and Purse *La montre et le sac à main volés*	les vêtements	le présent progressif	○
CHAPTER 13 p. 62 - 63 - 64 - 65	A Visit to a School *Visite à l'école*	les objets de l'école	les pronoms possessifs	○
CHAPTER 14 p. 66 - 67	Solve the Mystery! *Résoudre l'énigme !*			○
p. 68 - 69	Révisions des chapitres 11 à 13			○
p. 70 - 71 - 72 - 73	Vocabulaire			
p. 74 - 75 - 76 - 77	Traduction des dialogues et des chansons			
p. 78 - 79 - 80	Corrigés des exercices et des jeux			

Scannez ce code sur votre smartphone pour accéder directement au site www.hatierpasapas.com

Londres

Connais-tu Londres ?
Voici la carte qui te permettra de suivre nos amis
durant leur passionnante enquête !

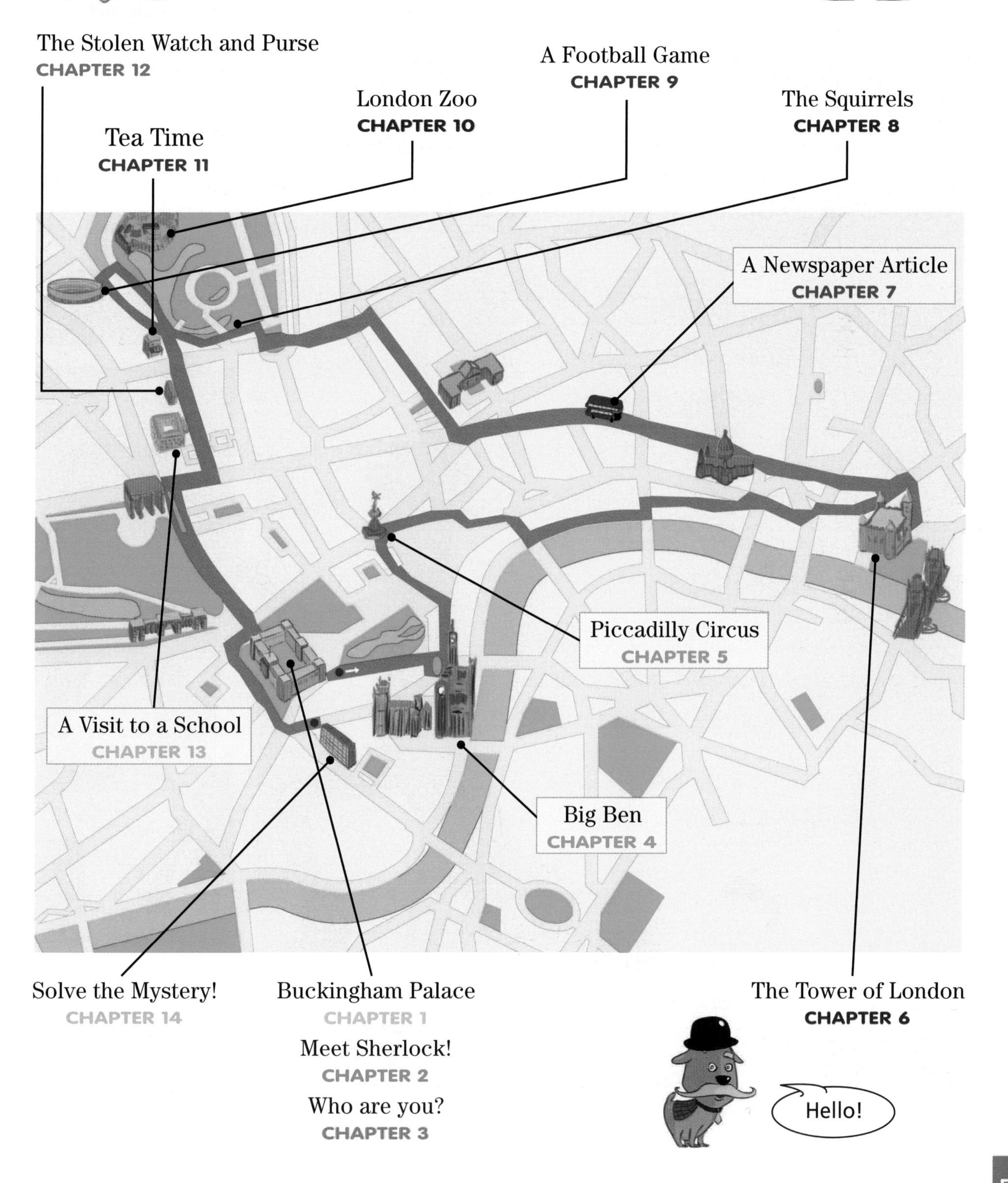

Buckingham Palace

Le palais de Buckingham

→ les pronoms personnels

Chloé et Sébastien sont en vacances à Londres avec leurs parents.
Dès le premier jour, ils décident de se rendre au palais de Buckingham où habite la reine. Pendant que leurs parents prennent des photos dans les salons de réception, Chloé et Sébastien s'aventurent dans les jardins du palais.
Tout à coup, ils entendent un cri provenant du château.

Key words

Mots clés

■ Apprends les mots clés du dialogue.

QUEEN

POLICEMAN

THIEF

CROWN

YES

NO

HELP!

GOODBYE

STOP!

The pronouns

Les pronoms

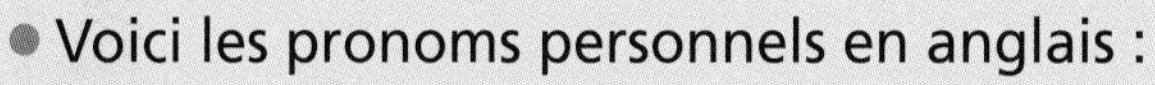

• Voici les pronoms personnels en anglais :

I	Je
YOU	Tu
HE / SHE	Il / Elle
IT	Il ou Elle (pour les objets et les animaux)
WE	Nous
YOU	Vous
THEY	Ils / Elles

Game: Find the words!

Jeu : Retrouve les mots !

■ Retrouve et entoure les neuf mots clés dans cette grille.

E	H	R	S	Q	U	E	E	N	M
C	Y	N	W	O	R	C	T	O	J
X	E	B	I	F	E	I	H	T	A
G	S	E	D	Y	E	T	E	N	R
P	H	U	F	O	L	A	L	A	G
L	D	Q	S	T	O	P	P	S	T
K	B	W	L	I	T	G	R	O	P
A	N	A	M	E	C	I	L	O	P

➤ Va vite voir sur le site, un grand jeu t'attend !
À la fin, écris ici le mot indice que tu auras obtenu : ....

Entraînement

1 Relie les dessins à leur signification :

- CROWN
- POLICEMAN
- YES
- NO
- THIEF
- QUEEN

2 Traduis les pronoms en anglais :

Je	....	Tu	....	Nous	....
Elle	....	Il	....	Vous	....
Elles	....	Ils	....	Il *(objets ou animaux)*	....

Meet Sherlock!

À la rencontre de Sherlock !

→ dire bonjour, engager une conversation, le présent simple

Les enfants décident de se lancer à la poursuite du voleur, mais ils ont besoin d'aide, et ce jour-là, ils ont de la chance ! Derrière un buisson apparaît soudain un chien en train de grignoter un os. Étrange : il est coiffé d'un chapeau et vêtu d'un manteau ! Et le chien s'adresse à eux... en anglais !

SHERLOCK: Hello!

CHLOÉ: Hello...

SHERLOCK: Good morning!

SÉBASTIEN: Good morning...

SHERLOCK: How are you?

CHLOÉ: Heu...

SHERLOCK: My name is Sherlock.
What's your name?

SÉBASTIEN: Heu...

Key words

Mots clés

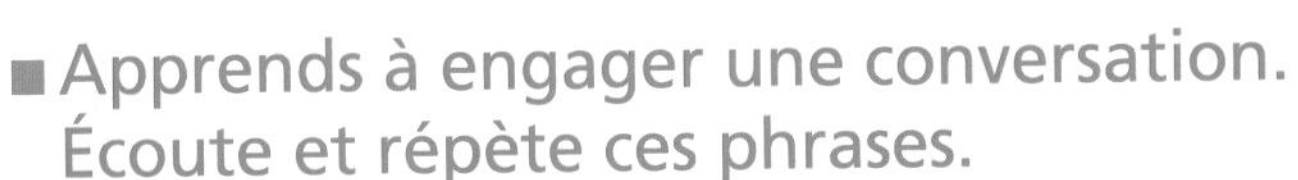

■ Apprends à engager une conversation.
Écoute et répète ces phrases.

The present simple

Le présent simple

- Pour exprimer un fait, un goût ou une habitude, tu utilises le présent simple.
  Regarde les exemples :
  Un fait : I **live** in Paris. (J'habite à Paris.)
  Un goût : I **like** chocolate. (J'aime le chocolat.)
  Une habitude : I **speak** French at school. (Je parle français à l'école.)

- Voici comment conjuguer les verbes TO SPEAK (parler) et TO LIVE (habiter) au présent simple. C'est très facile : tu enlèves le « to » et tu ajoutes un s à la 3e personne du singulier !

TO SPEAK parler		**TO LIVE** habiter	
I speak English	Je parle anglais	**I live in Paris**	J'habite à Paris
You speak	Tu parles	**You live**	Tu habites
He speaks	Il parle	**He lives**	Il habite
She speaks	Elle parle	**She lives**	Elle habite
We speak	Nous parlons	**We live**	Nous habitons
You speak	Vous parlez	**You live**	Vous habitez
They speak	Ils / Elles parlent	**They live**	Ils / Elles habitent

Song: Hello!

Chanson : Bonjour !

Hello, hello, hello, what's your name?
My name is Mary, my name is Mary.
Hello Mary, hello Mary, hello!

Hello, hello, hello, what's your name?
My name is Peter, my name is Peter.
Hello Peter, hello Peter, hello!

➤ Va sur le site. Écris ici le mot indice que tu as obtenu après avoir chanté : ....

Game: Sherlock's secret message!

Jeu : Le message secret de Sherlock !

■ Aide Sherlock à trouver son os. En suivant ce labyrinthe dans le bon sens, tu découvriras son message secret. Écris-le.

....

Entraînement

1 Complète ces phrases :

H __ __ __ __!

H __ __ __ R __ __ __ U?

W __ __ __' __ Y __ __ __ N __ __ __?

__ Y N __ __ __ I __ .... *(écris ton prénom ici).*

2 Conjugue les verbes suivants au présent simple :

TO LEAVE (partir)

I ....

You ....

He ....

She ....

We ....

You ....

They ....

TO WANT (vouloir)

I ....

You ....

He ....

She ....

We ....

You ....

They ....

Who are you?

Qui es-tu ? / Qui êtes-vous ?

→ se présenter, poser des questions

Sherlock propose aux enfants de les aider et ils décident tous les trois de rechercher la piste du voleur dans le parc.
Ils aperçoivent un peu plus loin une jeune fille en train de lire.
Ils décident donc d'aller lui poser quelques questions.

Key words

Mots clés

■ Apprends à te présenter. Écoute et répète les phrases.

Who are you?

I'm Jane. I'm a princess.

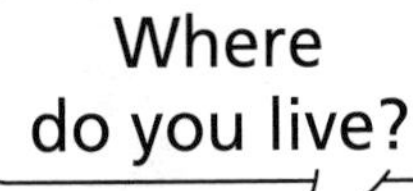

I live in London.

I live in
Aix-en-Provence.

Where
are you from?

I'm from England.

I'm from
France.

Question words

Les mots interrogatifs

● Voici des petites questions faciles à apprendre et très utiles !

HOW?
Comment ?
How are you?
Comment vas-tu ?

WHO?
Qui ?
Who are you?
Qui es-tu ?

WHERE?
Où ? D'où ?
Where do you live?
Où habites-tu ?

WHAT?
Quel(le) ? Quoi ?
What's your name?
Quel est ton prénom ?

WHEN?
Quand ?
When is your birthday?
Quand (à quelle date) est ton anniversaire ?

Game: Confusing conversations!

Jeu : Une drôle de conversation !

■ Qui parle avec qui ? Relie la personne qui pose une question à celle qui donne la bonne réponse.

➤ Va vite voir sur le site, un grand jeu t'attend !
À la fin, écris ici le mot indice que tu auras obtenu : ....

Entraînement

❶ Retrouve les phrases cachées :

I'MHONEWJANE. ……………………………………………………

IPAZLIVEERINOSTLONDON. ……………………………………………………

I'MGITUFROMAENGLAND. ……………………………………………………

ISBNSPEAKFADENGLISH. ……………………………………………………

I'MBNSAEIKPRINCESS. ……………………………………………………

I'MATULFINE. ……………………………………………………

❷ Pose les questions en utilisant les étiquettes :

What | Who | How | Where | Where

…………………'s your name?

………………… are you?

………………… are you?

………………… do you live?

………………… are you from?

The Big Clock

La grande horloge

→ les chiffres, les adjectifs

Jane a vu un homme très suspect courir en direction de la célèbre horloge Big Ben. Peut-être est-ce le voleur ? Sherlock et les enfants décident de suivre cette piste. Ils arrivent sous l'horloge à 14 h 00. Au sommet d'un lampadaire, un petit hibou dort tranquillement.

Key words

Mots clés

- Apprends les chiffres.

ONE

2

TWO

THREE

FOUR

5

FIVE

6

SIX

7

SEVEN

8

EIGHT

9

NINE

10

TEN

11

ELEVEN

12

TWELVE

The adjectives

Les adjectifs

Look

big

little

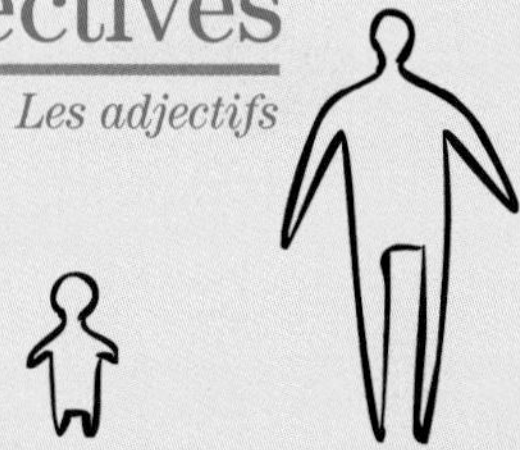

tall

short

fat

thin

happy

sad

- Tous les adjectifs en anglais sont invariables :

the little owl
le petit hibou

the little princess
la petite princesse

the little dogs
les petits chiens

Song: One, two, buckle my shoe

Chanson : Un, deux, je fais mon lacet

One, two,
Buckle my shoe.
Three, four,
Open the door.
Five, six,
Pick up sticks.
Seven, eight,
Lay them straight.

Nine, ten,
A big fat hen.
Eleven, twelve,
dig and delve.
Thirteen, fourteen, maids a-courting.
Fifteen, sixteen, maids in the kitchen.
Seventeen, eighteen, maids in waiting.
Nineteen, twenty, my plate's empty!

➤ Va sur le site. Écris ici le mot indice que tu as obtenu après avoir chanté : ....

Game: Oliver's schedule

Jeu : L'emploi du temps d'Oliver

■ Regarde ce que fait Oliver pendant sa journée. Dessine les aiguilles de chacune de ces horloges selon les horaires indiqués en-dessous.

What time is it? *Quelle heure est-il ?*

It's eight o'clock.

It's ten o'clock.

It's twelve o'clock.

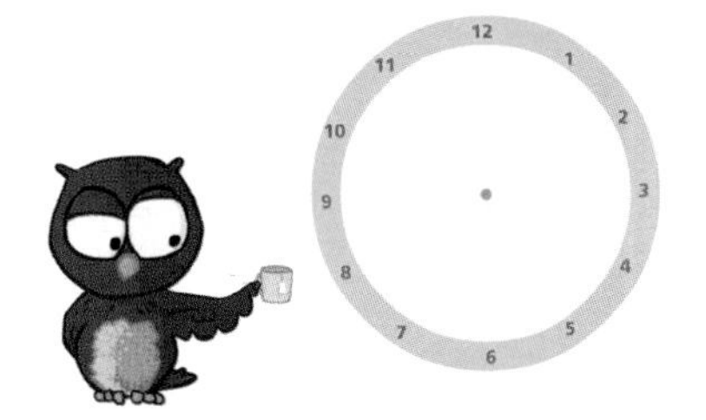

It's four o'clock.

It's seven o'clock.

It's eleven o'clock.

Entraînement

❶ Happy birthday! Écris en lettres l'âge de chaque personnage selon le nombre de bougies que tu vois sur son gâteau d'anniversaire. Puis, écris ton âge :

Oliver is ....

Chloé is ....

Sébastien is ....

How old are you?

I'm ....

(écris ton âge ici)

❷ Trouve l'adjectif qui correspond le mieux à chaque dessin :

The __ __ __ __ tower.

The __ __ __ __ __ owls.

The __ __ __ __ __ dog.

The __ __ __ queen.

Piccadilly Circus

Piccadilly Circus

→ les couleurs, les articles

Le voleur n'est peut-être pas loin et Oliver, le hibou, suggère d'avancer vers Piccadilly Circus, un grand carrefour de Londres.
Là, Chloé, Sébastien et Sherlock croisent une femme et un homme qui viennent de se faire voler leurs affaires. Est-ce encore le même voleur ?

THE WOMAN: Stop! Thief!
THE MAN: He has my grey watch!
THE WOMAN: ... and my purple purse!
SHERLOCK: ... and the queen's yellow crown!
CHLOÉ: Stop the thief, Sherlock!
SHERLOCK: Woof! Woof!
THE THIEF: Stupid dog!
THE WOMAN: No! He is on the red bus!
THE THIEF: Goodbye!

Key words

Mots clés

■ Apprends les couleurs (the colours).

RED

YELLOW

BLUE

GREEN

PURPLE

ORANGE

PINK

BROWN

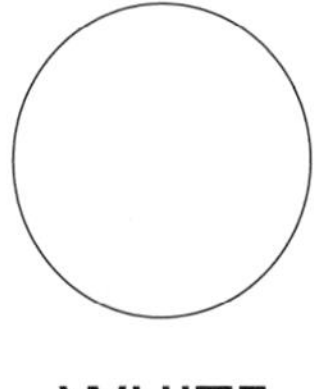

WHITE

BLACK

GREY

The definite and indefinite article

L'article défini et indéfini

- En anglais, tu utilises un seul mot pour dire le / la / les ! C'est le mot **THE**. **THE** est invariable :

the **man**	the **woman**	the **children**
l'homme	la femme	les enfants

- L'article indéfini (un / une) est **A** ou **AN**. Tu utilises **A** quand le mot qui suit commence par une consonne et **AN** quand il commence par une voyelle. **A** et **AN** sont invariables :

a **watch**	a **purse**	an **owl**
une montre	un sac à main	un hibou

Game: I spy...

Jeu : J'espionne...

■ As-tu les yeux d'un bon détective ? Regarde la scène avant le vol à Piccadilly Circus et essaie de trouver les six détails décrits ci-dessous. Entoure-les !

a black thief • a grey watch • a purple purse • a yellow crown
a brown dog • a red bus

➤ Va vite voir sur le site, un grand jeu t'attend !
À la fin, écris ici le mot indice que tu auras obtenu : ....

Entraînement

1 Colorie les objets selon les couleurs indiquées :

the black cab

the red telephone box

the grey building

the yellow sign

the blue bicycle

the green statue

2 Mets une croix devant l'article qui convient :

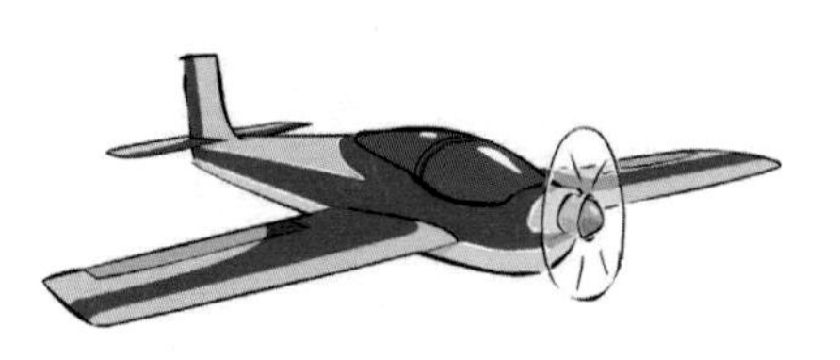

a an airplane

a an boy

a an girl

a an house

a an glass

a an ice cream

The Tower of London

La Tour de Londres

→ les parties du corps, le verbe avoir

Il s'agissait bien du même voleur que celui du palais de Buckingham, et il vient de s'échapper ! Sans attendre, toute l'équipe se précipite dans le bus suivant mais au troisième arrêt, Sherlock se rend compte qu'ils prennent la mauvaise ligne ! Ils descendent donc aussitôt et se retrouvent devant une grande tour et un impressionnant garde anglais.

BILLY THE BEEFEATER:	Stop! You have a dog!
CHLOÉ:	Yes...?
BILLY THE BEEFEATER:	No dogs in the Tower of London!
SÉBASTIEN:	What? Why not?
BILLY THE BEEFEATER:	Dogs have dirty noses!
SHERLOCK:	No, they don't!
BILLY THE BEEFEATER:	Dogs have dirty feet!
SHERLOCK:	No, they don't!
BILLY THE BEEFEATER:	Please, leave immediately!

Key words

Mots clés

■ Écoute et répète le nom des parties du corps (the body).

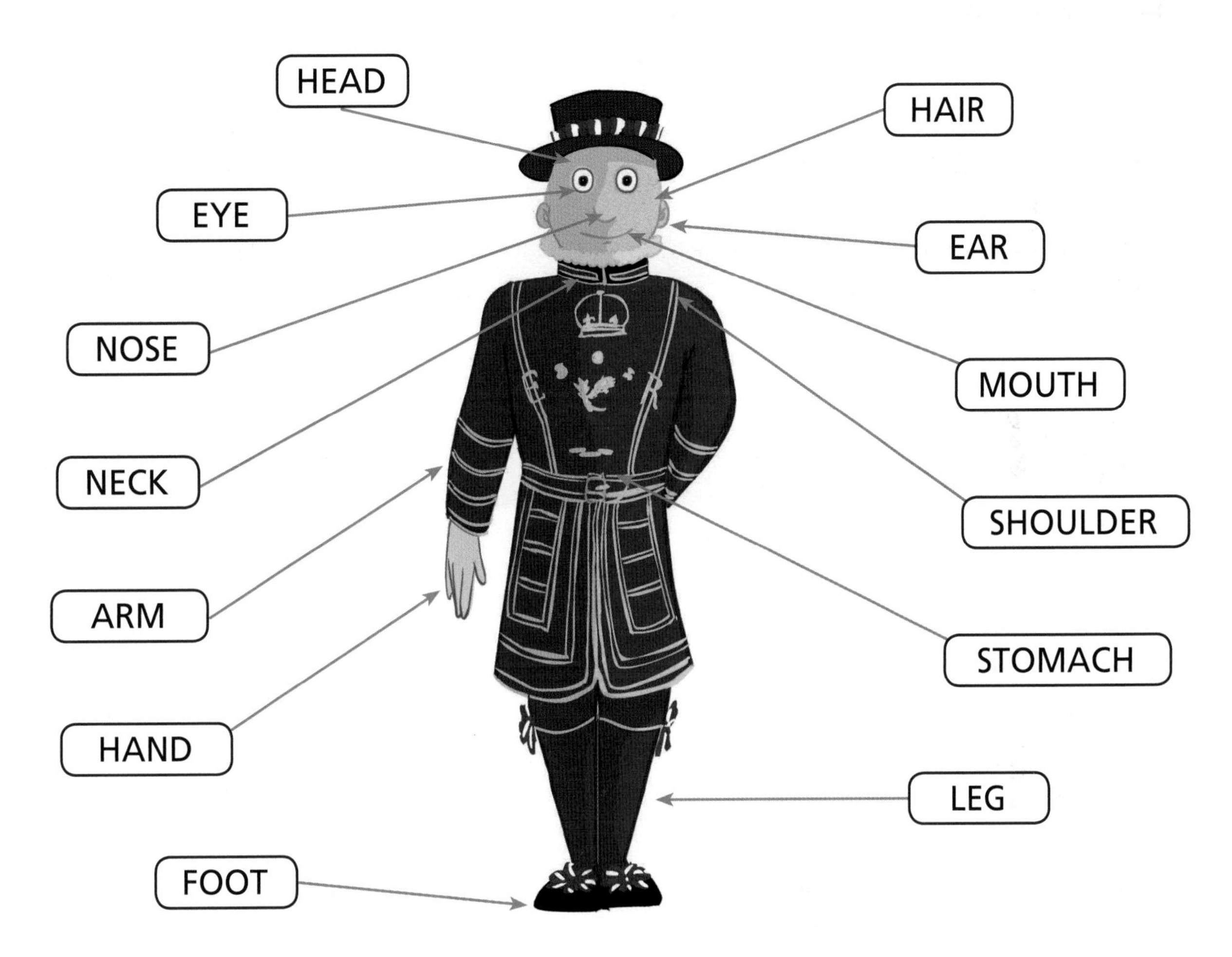

The verb to have

Le verbe avoir

● Voici comment conjuguer le verbe **TO HAVE** :

I have	J'ai
You have	Tu as
He / she has	Il / Elle a
It has	Il / Elle a (pour les objets et les animaux)
We have	Nous avons
You have	Vous avez
They have	Ils / Elles ont

Game: Who is it?

Jeu : Qui est-ce ?

- Un **Beefeater** est un garde anglais qui travaille à la Tour de Londres. Observe les trois Beefeaters ci-dessous : Billy, Richard et Charles. Lis les descriptions et trouve qui est qui !

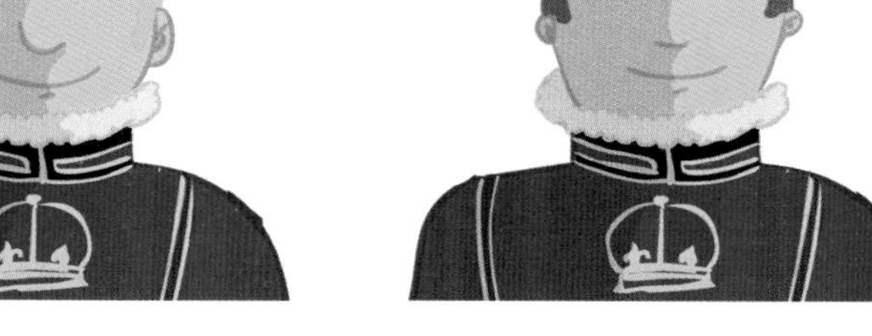

BILLY RICHARD CHARLES

He has yellow hair.

He has blue eyes.

He has a big nose.

Who is it? ....

He has brown hair.

He has green eyes.

He has little ears.

Who is it? ....

He has black hair.

He has black eyes.

He has a short neck.

Who is it? ....

➤ Va vite voir sur le site, un grand jeu t'attend !
À la fin, écris ici le mot indice que tu auras obtenu : ....

Entraînement

1 Utilise les noms des parties du corps que tu vois ci-dessous pour compléter la grille :

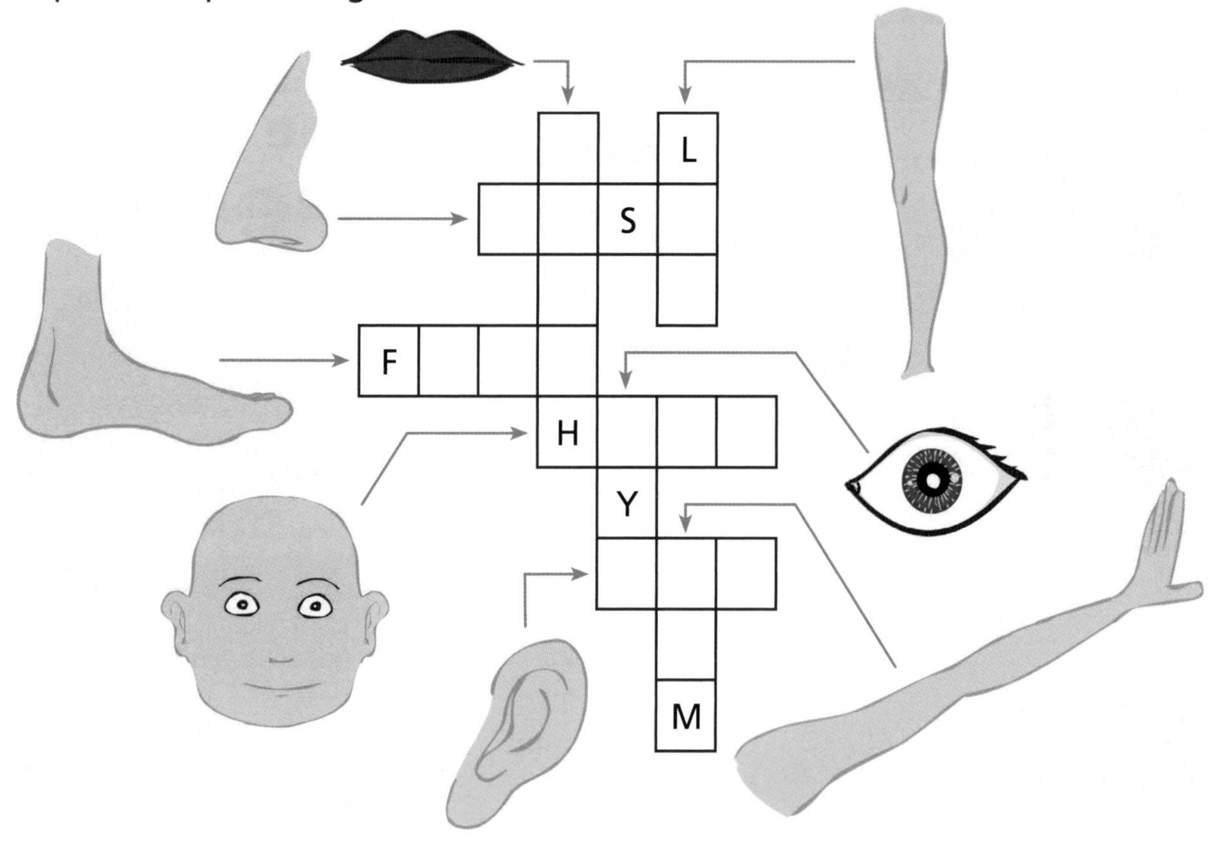

2 Utilise le verbe **to have** pour compléter les phrases :

I .... four legs.

We .... two ears.

She .... two shoulders.

He .... one nose.

Cultural information I: Welcome to London!

Informations culturelles I : Bienvenue à Londres !

Que connais-tu à propos de Londres ?
Voici quelques caractéristiques de cette grande ville :

The Queen

La reine d'Angleterre s'appelle Elizabeth II. C'est aussi la reine de l'Écosse, du pays de Galles, de l'Irlande du Nord, de l'Australie, de la Nouvelle-Zélande, du Canada, et de douze îles Britanniques.
C'est beaucoup de travail pour une seule personne !

The Double Decker

Le double decker est un grand bus rouge à deux étages. Inventé en Angleterre vers 1950, ces bus circulent maintenant dans d'autres villes du monde comme Dublin, Berlin, Hong Kong et Tokyo.

The Pound

Contrairement aux Français, les Anglais n'utilisent pas l'euro. Leur monnaie officielle s'appelle la livre sterling (the pound).

The Bobby

Bobby est le mot d'argot anglais pour dire « policier ». Les bobbies sont très faciles à identifier : ils portent un casque ovale et un costume bleu marine.

The Black Cab

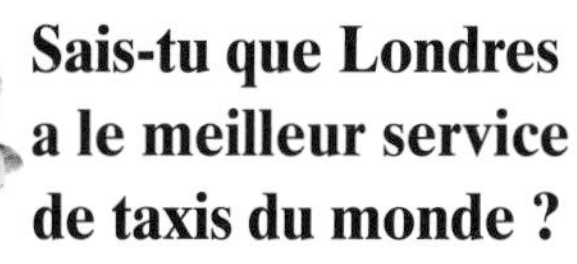

Sais-tu que Londres a le meilleur service de taxis du monde ?

C'est parce que les conducteurs de taxi londoniens doivent passer des épreuves très difficiles qui nécessitent jusqu'à quatre ans de préparation ! En ville, les taxis (appelés cabs par les Anglais) sont traditionnellement noirs et peuvent transporter entre cinq et six personnes à la fois.

Et voici trois grands et célèbres monuments de cette ville :

BUCKINGHAM PALACE

Le palais de Buckingham est la résidence principale de la reine et de la famille royale anglaise. Il se trouve au centre de Londres. Ce palais est gigantesque et contient 650 pièces, dont la salle du trône, une galerie de tableaux contenant la collection royale et une magnifique salle de bal.

BIG BEN

Big Ben est le nom de l'horloge (clock tower) du parlement de Londres. L'origine de son nom est très logique : on dit qu'elle est grosse (Big), car elle pèse 14 tonnes et on l'appelle Ben car elle porte le nom de l'homme qui l'a installée en 1858, Sir Benjamin (Ben) Hall. Ses carillons sonnent très fort et peuvent être entendus toutes les quinze minutes de n'importe quel lieu dans Londres !

THE TOWER OF LONDON

Contrairement à son nom, la Tour de Londres n'a pas une seule tour, mais vingt ! Construite en 1078, ce monument a servi successivement de forteresse, de palais royal, de prison et même de zoo ! Aujourd'hui, c'est un musée renfermant les bijoux de la famille royale. Ils sont protégés par des gardes royaux, les célèbres Beefeaters.

Révisions

des chapitres 1 à 6

1 Complète les phrases :

(Elle) .... speaks English.

(Vous) .... live in London.

(Ils) .... leave the palace.

(Il) .... wants the crown.

(Je) ....'m from France.

(Nous) .... are from England.

2 Retrouve les questions de Sherlock et Jane et écris-les :

....

....

....

....

....

....

3 Combien de hiboux vois-tu ? Écris ta réponse en lettres :

_ _ _ owl _ _ _ _ _ owls _ _ _ _ owls

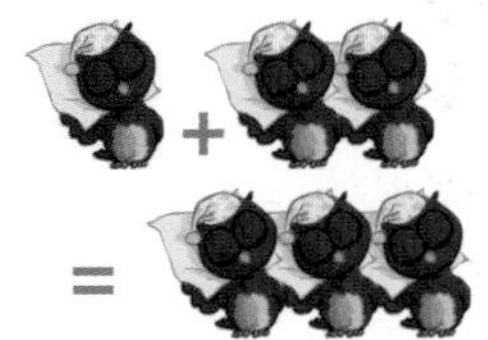

_ _ _ owl + _ _ _ owls = _ _ _ _ _ owls

_ _ _ _ _ owls + _ _ _ _ owls = _ _ _ _ _ owls

4 Complète les phrases qui décrivent Chloé et Sébastien :

Chloé has yellow ....

Chloé has blue ....

Chloé has a thin ....

Sébastien has black ....

Sébastien has blue ....

Sébastien has a little ....

5 Crée ta propre carte d'identité ! Utilise celle de Sherlock pour t'aider :

Sherlock's identity card

Name:	Sherlock
Age:	seven
Address:	501 Buckingham Palace
City:	London
Country:	England

My identity card

Name:	
Age:	
Address:	
City:	
Country:	

➤ Retourne sur le site et réponds au QUIZ 1 des Révisions !

A Newspaper Article

Un article de journal

→ les jours, les mois, la météo et le pluriel des noms

Évidemment, aller à la Tour de Londres était une erreur. Nos trois héros reviennent sur leurs pas et trouvent enfin le bon bus. Là, sur une banquette libre, Sherlock trouve un journal abandonné. Un article lui paraît intéressant. Il le lit à Chloé et Sébastien.

LONDON CITY NEWS

Sunday, July 11

Where is the Queen's crown?

It's a cloudy afternoon in London today. The Queen is sad because she does not have her yellow crown! Where is it? Who has it? Police officers at New Scotland Yard continue to look for the crown. They want to find it tomorrow or before Thursday.

Key words

Mots clés

■ Écoute et répète le nom des jours, des mois et la météo !

The days

MONDAY - TUESDAY - WEDNESDAY - THURSDAY - FRIDAY - SATURDAY - SUNDAY

yesterday ←——— today ———→ tomorrow
(Saturday) (Sunday) (Monday)

The months

JANUARY	MAY	SEPTEMBER
FEBRUARY	JUNE	OCTOBER
MARCH	JULY	NOVEMBER
APRIL	AUGUST	DECEMBER

The weather

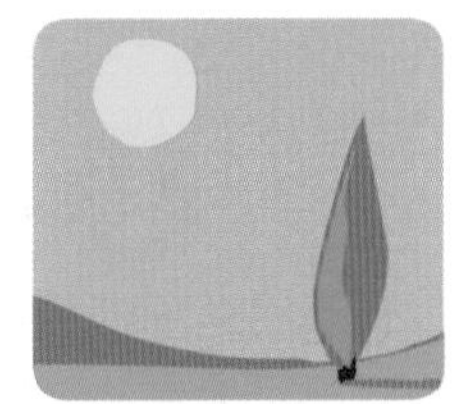
It's sunny.

It's cloudy.

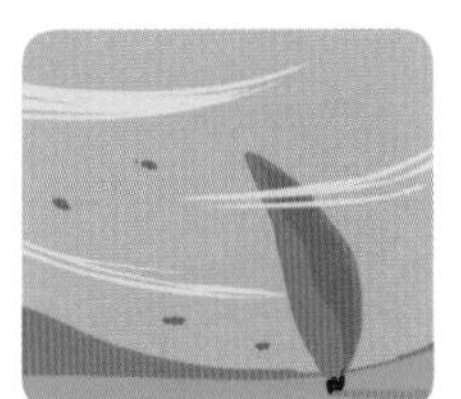
It's windy.

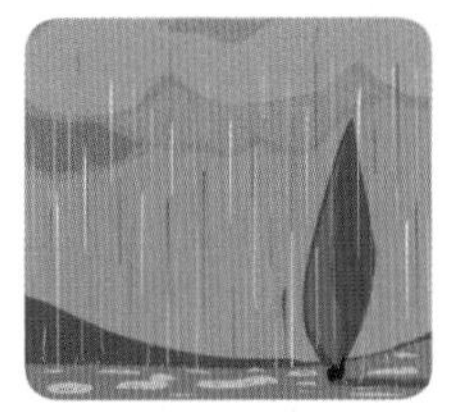
It's raining.

It's snowing.

Plural noun forms

Le pluriel des noms

Look

- Au pluriel, la plupart des noms se terminent avec un s. Regarde :

girl → girls   boy → boys   dog → dogs
minute → minutes   day → days   month → months

- Mais certains noms sont **irréguliers au pluriel**. Regarde :

man → men   woman → women   child → children
thief → thieves   bus → buses   foot → feet

Song: Rain, rain, go away!

Chanson : Pluie, pluie, disparaîs !

Rain, rain, go away,
Come again another day...
Rain, rain, go away,
Little Johnny wants to play.

Rain, rain, go to Spain,
Never show your face again.
Rain, rain, pour down,
But not a drop on our town.

Rain on the green grass,
and rain on the tree,
And rain on the housetop,
but not on me.

Rain, rain, go away,
Come again on washing day.
Rain, go to Germany,
Remain there permanently.

Rain, rain, go away,
Come on Martha's wedding day!

➤ Va sur le site. Écris ici le mot indice que tu as obtenu après avoir chanté : ....

Game: What's the weather like in England?

Jeu : Quel temps fait-il en Angleterre ?

Play!

■ Relie chaque phrase à la bonne ville sur la carte.

It's sunny. •

It's cloudy. •

• It's raining.

• It's windy.

Newcastle

Liverpool

Bath

London

Entraînement

1 Lis les dates des journaux ci-dessous. Puis, écris les jours qui correspondent à ceux d'aujourd'hui, d'hier et de demain :

LONDON CITY NEWS
Monday, February 27

Today is Monday.
Yesterday was S............................
Tomorrow will be T............................

LONDON CITY NEWS
Friday, April 2

Today is F............................
Yesterday was T............................
Tomorrow will be S............................

LONDON CITY NEWS
Tuesday, June 15

Today is ....
Yesterday was ....
Tomorrow will be ....

2 Mets les mots suivants au pluriel :

newspaper → ....

car → ....

tree → ....

policeman → ....

queen → ....

crown → ....

The Squirrels

La famille Écureuil

→ la famille, le verbe être

Le bus arrive à Regent's Park et les trois amis décident de tenter leur chance. Ils ont beaucoup de retard sur le voleur, mais Sherlock décide quand même d'interroger trois petits écureuils qui se baladent dans le parc.
Peut-être ont-ils vu le voleur passer par ici ?

Key words

Mots clés

■ Viens faire la connaissance de toute la famille de Sammy Squirrel.

The verb to be

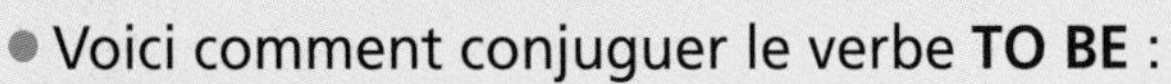

Le verbe être

• Voici comment conjuguer le verbe **TO BE** :

I am ou **I'm**	Je suis
You are	Tu es
He / She is	Il / Elle est
It is ou **It's**	Il / Elle est (pour les objets et les animaux)
You are	Vous êtes
They are	Ils / Elles sont

Game: My family tree

Jeu : Mon arbre généalogique

■ Crée ton propre arbre généalogique ! Remplis les étiquettes ci-dessous avec les prénoms des membres de ta famille.

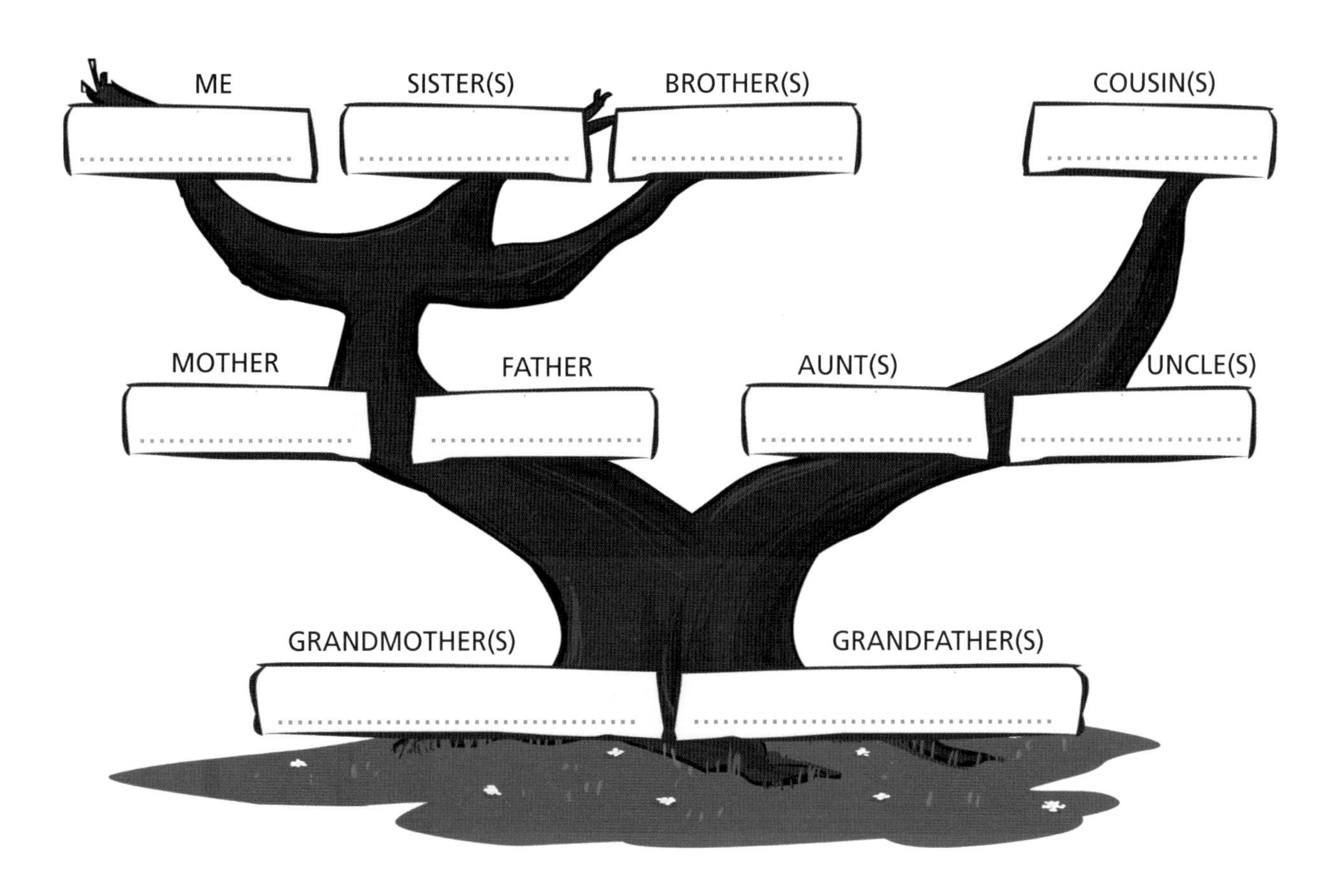

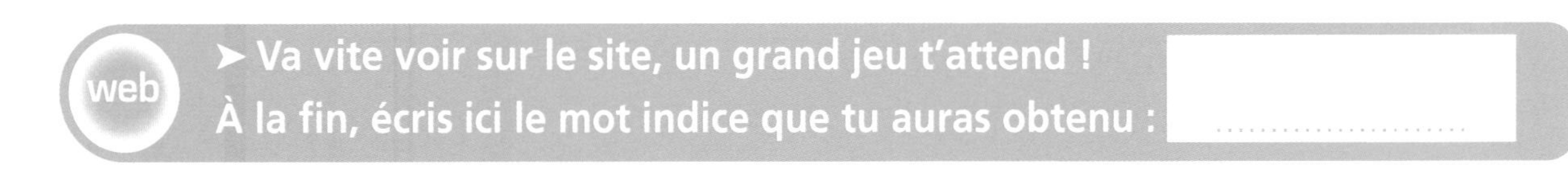

Entraînement

1 Colorie le mot qui convient pour chaque phrase.

Sammy has one	child	girl	sister
Sammy has one	boy	brother	girl
Sally has two	sisters	brothers	mothers
Scott has three	cousins	aunts	uncles
Sarah and Stuart have three	grandmothers	grandfathers	children

2 Complète avec la bonne forme du verbe to be :

He .... the brother.

She .... the sister.

We .... the parents.

They .... the grandparents.

A Football Game

Un match de foot

→ **les sports, les verbes d'action et le verbe savoir faire / pouvoir faire**

En suivant les conseils de la famille Écureuil, Sherlock, Chloé et Sébastien se dirigent vers le stade de Regent's Park. C'est une bonne occasion d'assister à un match de foot anglais et nos trois spectateurs n'auraient pas pu choisir un meilleur moment...

Key words

Mots clés

■ Apprends les différents sports et les verbes qui leur correspondent.

FOOTBALL
to play football

TENNIS
to play tennis

RUGBY
to play rugby

BASKETBALL
to play basketball

CYCLING
to cycle

SKIING
to ski

SWIMMING
to swim

SURFING
to surf

The verb can

Le verbe savoir faire / pouvoir faire

- Pour dire ce que tu sais ou peux faire, tu utilises le verbe CAN. Regarde :

He can play football.
Il sait / peut jouer au foot.

She can swim.
Elle sait / peut nager.

- Pour dire ce tu ne sais ou ne peux pas faire,
tu utilises la forme négative CAN'T (cannot). Regarde :

He can't play football.
Il ne sait / peut pas jouer au foot.

She can't swim.
Elle ne sait / peut pas nager.

I can
You can
He can
We can
You can
They can

Game: Can they play...?

Jeu : Savent-ils jouer au ... ?

■ Vrai ou faux ? Sherlock, Chloé et Sébastien savent-ils pratiquer tous ces sports ? Regarde les images. Coche **TRUE** si c'est vrai et **FALSE** si c'est faux !

Sherlock can play football.

○ TRUE ○ FALSE

Chloé can play tennis.

○ TRUE ○ FALSE

Sébastien can ski.

○ TRUE ○ FALSE

Sherlock can play basketball.

○ TRUE ○ FALSE

Chloé can surf.

○ TRUE ○ FALSE

Sébastien can cycle.

○ TRUE ○ FALSE

➤ Va vite voir sur le site, un grand jeu t'attend !
À la fin, écris ici le mot indice que tu auras obtenu : ....

Entraînement

❶ Et toi, que sais-tu faire ?
Écris **CAN** ou **CAN'T** pour indiquer ce que tu sais ou ne sais pas faire.

I .... play tennis.

I .... play football.

I .... play rugby.

I .... play basketball.

I .... surf.

I .... ski.

I .... cycle.

I .... swim.

❷ Regarde les dessins et entoure le bon verbe.

to play / swim / ski football

to surf / ski / swim

to cycle / play / swim

to play / swim / surf tennis

to play / swim / surf rugby

to ski / play / surf

London Zoo

Le zoo de Londres

➜ les animaux, les démonstratifs

L'homme qui a fait une apparition sur le terrain de foot était bien le voleur ! Nos trois détectives se précipitent à sa poursuite mais le perdent de nouveau à l'entrée d'un zoo. Quelle déception ! Ils rencontrent alors un petit koala qui n'est pas très aimable...

Key words

Mots clés

■ Écoute et apprends le nom des animaux du zoo.

KOALA

LION

TIGER

BEAR

MONKEY

BIRD

FISH

TURTLE

DOLPHIN

Demonstrative pronouns

Les démonstratifs

- Le démonstratif THIS (ce, cette) s'utilise pour parler d'une personne ou d'une chose qui est proche.
  this koala
- Au pluriel, **this** devient THESE.
  these tigers

- Le démonstratif THAT (ce, cette) s'utilise pour parler d'une personne ou d'une chose qui est loin.
  that lion
- Au pluriel, **that** devient THOSE.
  those bears

Song: Alice the camel

Chanson : Alice le chameau

Alice the camel has 5 humps.
Alice the camel has 5 humps.
Alice the camel has 5 humps.
So go, Alice, go! (Boom, boom, boom...)

Alice the camel has 4 humps.
Alice the camel has 4 humps.
Alice the camel has 4 humps.
So go, Alice, go! (Boom, boom, boom...)

Alice the camel has 3 humps.
Alice the camel has 3 humps.
Alice the camel has 3 humps.
So go, Alice, go! (Boom, boom, boom...)

Alice the camel has 2 humps.
Alice the camel has 2 humps.
Alice the camel has 2 humps.
So go, Alice, go! (Boom, boom, boom...)

Alice the camel has 1 hump.
Alice the camel has 1 hump.
Alice the camel has 1 hump.
So go, Alice, go! (Boom, boom, boom...)

Alice the camel has no humps.
Alice the camel has no humps.
Alice the camel has no humps.
Now Alice is a horse!

➤ Va sur le site. Écris ici le mot indice que tu as obtenu après avoir chanté : ....

Game: Animal talk!

Jeu : Les animaux parlent !

■ Chacun de ces quatre animaux du zoo a quelque chose à dire ! Relie-les à leur bulle :

whale •

zebra •

elephant •

camel •

• I live in the desert.

• I have a big grey nose.

• I'm black and white.

• I can swim.

Entraînement

❶ Complète les mots :

L __ O __

__ I __ __

T __ __ T __ __

__ E A __

D __ L __ __ __ __

__ __ R D

❷ Décris les animaux que tu vois ci-dessous.
Complète avec THIS, THAT, THESE ou THOSE :

.... LEOPARD

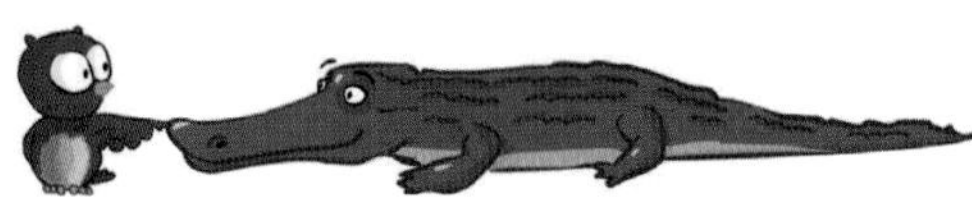

.... CROCODILE

.... KANGAROOS

.... GIRAFFES

.... BATS

.... WOLF

Cultural information II: Animals from around the English-speaking world

Informations culturelles II : Les animaux des pays anglophones

As-tu jamais vu un koala ? Ces magnifiques animaux vivent en Australie – l'un des sept pays où la langue principale est l'anglais. Découvre ces pays et leur animal fétiche.

THE UNITED KINGDOM

(ENGLAND, SCOTLAND, WALES & NORTHERN IRELAND)

le macareux - the puffin

À la saison des amours (au printemps), le bec des macareux devient orange, gris et blanc.

IRELAND

l'orque
the killer whale

Les orques peuvent communiquer entre eux en émettant des ultrasons sous l'eau, des sons qui les aident à naviguer.

SOUTH AFRICA

le guépard
the cheetah

Le guépard peut courir jusqu'à 112 kilomètres à l'heure !

THE UNITED STATES OF AMERICA

l'aigle chauve
the bald eagle

Dès qu'ils trouvent un compagnon, deux aigles chauves restent ensemble pendant toute leur vie.

CANADA

l'élan
the moose

Les bois d'un élan mâle peuvent repousser quand ils sont cassés.

AUSTRALIA

le koala
the koala

Le koala dort en moyenne 18 heures par jour !

NEW ZEALAND

le kiwi - the kiwi

Le kiwi est le seul oiseau qui a des narines sur son bec, ce qui l'aide à sentir et détecter sa nourriture.

Révisions

des chapitres 7 à 10

1 Sauras-tu retrouver le nom des mois de ces différentes fêtes françaises et anglaises ?

New Year's Day

J _ _ _ _ _ _

Valentine's Day

F _ _ _ _ _ _ _

Easter

M _ _ _ _ or A _ _ _ _

Mother's Day

M _ _

Father's Day

J _ _ _

Christmas

D _ _ _ _ _ _ _

2 Quel temps fait-il ?

It's _ _ _ _ _   It's _ _ _ _ _ _ _   It's _ _ _ _ _ _ _

3 Transforme ces mots au pluriel :

dog → ....

bus → ....

owl → ....

child → ....

koala → ....

thief → ....

4 Qui sont-ils ? Relie les morceaux de phrases :

Sherlock ●	● is a dog.
Jane ●	● is a koala.
Oliver ●	● is a princess.
Kristina ●	● are squirrels.
Chloé and Sébastien ●	● is an owl.
Sammy, Sarah and Stuart ●	● are children.

5 À ton avis, ces sports sont-ils d'origine française ou anglaise ?

FOOTBALL
French ◯
English ◯

TENNIS
French ◯
English ◯

CYCLING
French ◯
English ◯

RUGBY
French ◯
English ◯

6 Regarde les dessins. Écris **CAN** ou **CAN'T**.

Sébastien .... cycle.

Sherlock .... play football.

Jane .... play tennis.

Chloé .... surf.

Billy .... play rugby.

Oliver .... ski.

7 Identifie les noms de ces trois animaux mystérieux :

It has four hands.
It is little.
It lives in the jungle.

It's a _ _ _ _ _ _

It has zero legs.
It can swim.
It lives in the ocean.

It's a _ _ _ _

It has four legs.
It is orange and black.
It is big.

It's a _ _ _ _ _

web ➤ Retourne sur le site et réponds au QUIZ 2 des Révisions !

Tea Time

L'heure du thé

→ les aliments, aimer et ne pas aimer

Nos trois amis ne peuvent pas entrer dans le zoo, et de plus, ils sont assoiffés après avoir tant couru. Sherlock invite donc Chloé et Sébastien dans son salon de thé préféré, Tilly Tea House, qui se trouve juste à côté. Assis autour d'une grande table blanche, tous trois passent leur commande au serveur.

Key words

Mots clés

■ Aide Chloé et Sébastien à lire le menu de Tilly Tea House.

Tilly Tea House

Lunch Menu

SANDWICHES:
HAM
CHEESE
SAUSAGE
CHICKEN
BACON
EGG
HAMBURGER

SOUPS:
BROCCOLI
POTATO
CARROT

SALADS:
TOMATO
SPINACH
PASTA

DRINKS:
TEA
COFFEE
ORANGE JUICE

DESSERTS:
CAKE
ICE CREAM
FRUIT

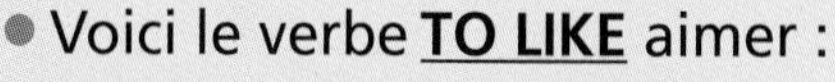

To like and not to like

Aimer et ne pas aimer

● Voici le verbe **TO LIKE** aimer :

I like	J'aime
You like	Tu aimes
He / She likes	Il / Elle aime
We like	Nous aimons
You like	Vous aimez
They like	Ils / Elles aiment

● Pour dire ce que tu n'aimes pas,
tu ajoutes don't / doesn't. (do not / does not) :

I don't like	Je n'aime pas
You don't like	Tu n'aimes pas
He / She doesn't like	Il / Elle n'aime pas
We don't like	Nous n'aimons pas
You don't like	Vous n'aimez pas
They don't like	Ils / Elles n'aiment pas

● Et pour poser une question :
Do you like tea? (Aimes-tu le thé ?) Yes, I do. No, I don't.

Look

Game: Sherlock's favourite pizza

Jeu : La pizza préférée de Sherlock

■ Quelle est la pizza préférée de Sherlock ?
Regarde la liste des ingrédients et dessine-lui une magnifique pizza !

Ingredients :

ham
chicken
bacon
sausages
bones

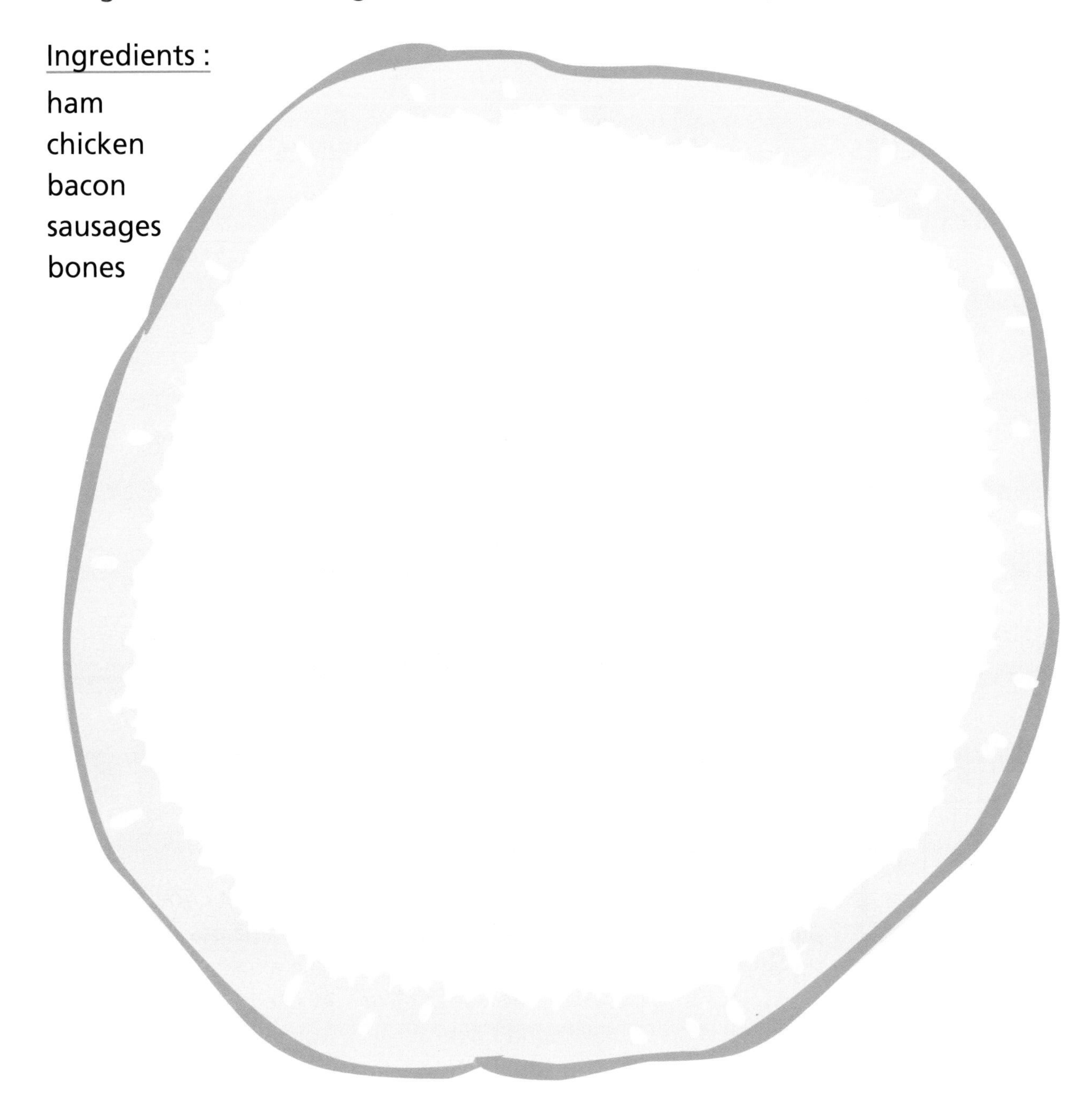

➤ Va vite voir sur le site, un grand jeu t'attend !
À la fin, écris ici le mot indice que tu auras obtenu : ....

Entraînement

❶ Utilise les mots de la liste ci-dessous pour dire ce que chacun aime ou n'aime pas.

orange juice – chicken – sausages – carrots – tea – spinach

Sherlock likes ....

Sherlock doesn't like ....

Chloé likes ....

Chloé doesn't like ....

Sébastien likes ....

Sébastien doesn't like ....

❷ Et toi, qu'aimes-tu ? Réponds aux questions par **Yes, I do** ou **No, I don't**.

Do you like broccoli? ....

Do you like hamburgers? ....

Do you like ice cream? ....

Do you like cheese? ....

Do you like coffee? ....

Do you like eggs? ....

CHAPTER 12

The Stolen Watch and Purse

La montre et le sac à main volés

→ les vêtements, le présent progressif

En quittant le salon de thé, les trois amis ne savent plus quoi faire. Tout à coup, Sébastien voit quelque chose de très curieux : dans la vitrine d'un magasin de vêtements d'occasion, il croit reconnaître la montre et le sac à main volés de Piccadilly Circus ! Tous les trois entrent immédiatement dans le magasin...

Key words

Mots clés

■ Apprends et répète le nom des vêtements.

PULLOVER

T-SHIRT

SHIRT

JACKET

COAT

TROUSERS

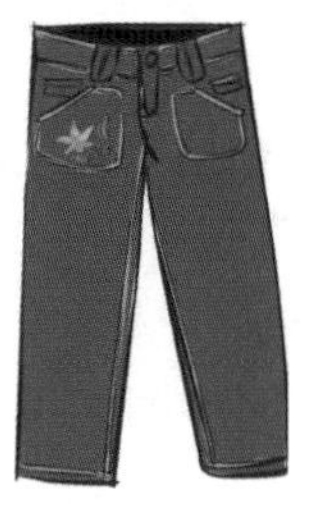

JEANS

SHORTS

SKIRT

DRESS

HAT

SHOES

The present continuous

Le présent progressif

Look

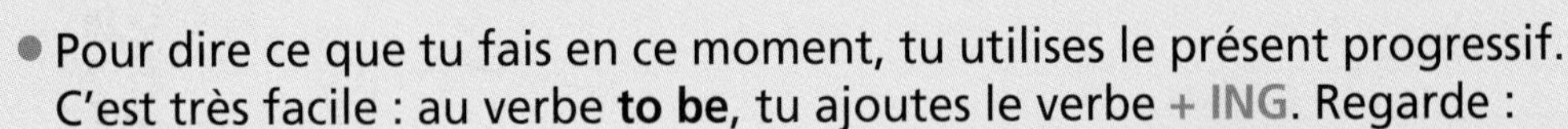

● Pour dire ce que tu fais en ce moment, tu utilises le présent progressif.
C'est très facile : au verbe **to be**, tu ajoutes le verbe + ING. Regarde :

TO BUY acheter		**TO SELL** vendre	
I'm (I am) buying	(En ce moment), j'achète	**I'm (I am) selling**	Je vends
You are buying	Tu achètes	**You are selling**	Tu vends
He / She is buying	Il / Elle achète	**He / She is selling**	Il / Elle vend
We are buying	Nous achetons	**We are selling**	Nous vendons
You are buying	Vous achetez	**You are selling**	Vous vendez
They are buying	Ils / Elles achètent	**They are selling**	Ils / Elles vendent

Game: Sherlock's new clothes!

Jeu : De nouveaux vêtements pour Sherlock !

■ Chloé et Sébastien choisissent de nouveaux vêtements pour Sherlock. Regarde les quatre costumes ci-dessous et colorie-les selon les consignes !

Sherlock is wearing a grey hat.

Sherlock is wearing a black jacket.

Sherlock is wearing orange shorts.

Sherlock is wearing a yellow coat.

➤ Va vite voir sur le site, un grand jeu t'attend !
À la fin, écris ici le mot indice que tu auras obtenu : ....

Entraînement

1 Regarde les dessins et complète les phrases de Sherlock :

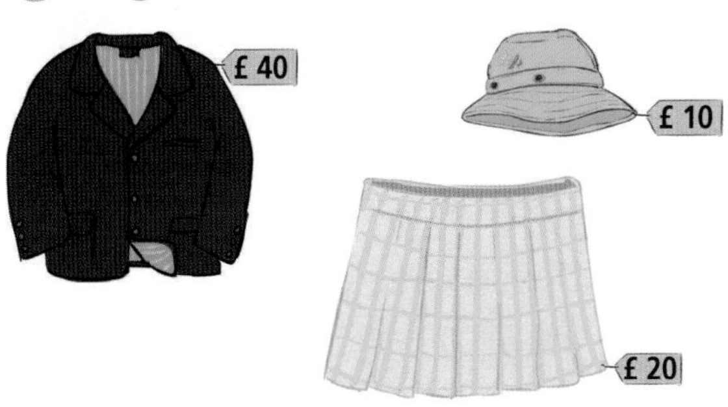

- How much is the jacket?
  It's £...............
- How much is the ....?
  It's £30.
- How much is the T-shirt?
  It's £....................
- How ....is the hat?
  It's £.............
- .... much is .... skirt?
  It's £.....................
- ....?
  It's £50.

2 Conjugue les trois verbes au présent progressif :

TO GO (aller)	**TO READ** (lire)	**TO LOOK FOR** (chercher)
I	I	I .... for
You	You	You .... for
He	He	He .... for
She	She	She .... for
We	We	We .... for
You	You	You .... for
They	They	They .... for

A Visit to a School

Visite à l'école

→ les objets de l'école, les pronoms possessifs

C'est sûrement le voleur qui a vendu ces articles au magasin, et selon la vendeuse, il s'est dirigé en courant vers Hyde Park. Les trois amis, tout excités, repartent sur la piste ! Devant une école, ils font une nouvelle rencontre.

ANDY:	Hello. Are you lost?
CHLOÉ:	No... We are looking for a thief!
ANDY:	The thief who has the queen's crown?
SÉBASTIEN:	Yes!
ANDY:	My uncle is looking for this man. He is a police officer at New Scotland Yard!
CHLOÉ:	Your uncle is a police officer?
SHERLOCK:	That is excellent news! Can we meet him?
ANDY:	Certainly! But first, I want to go to my classroom to get my backpack!

Key words

Mots clés

■ Apprends le nom des objets qui se trouvent dans la classe de Andy.

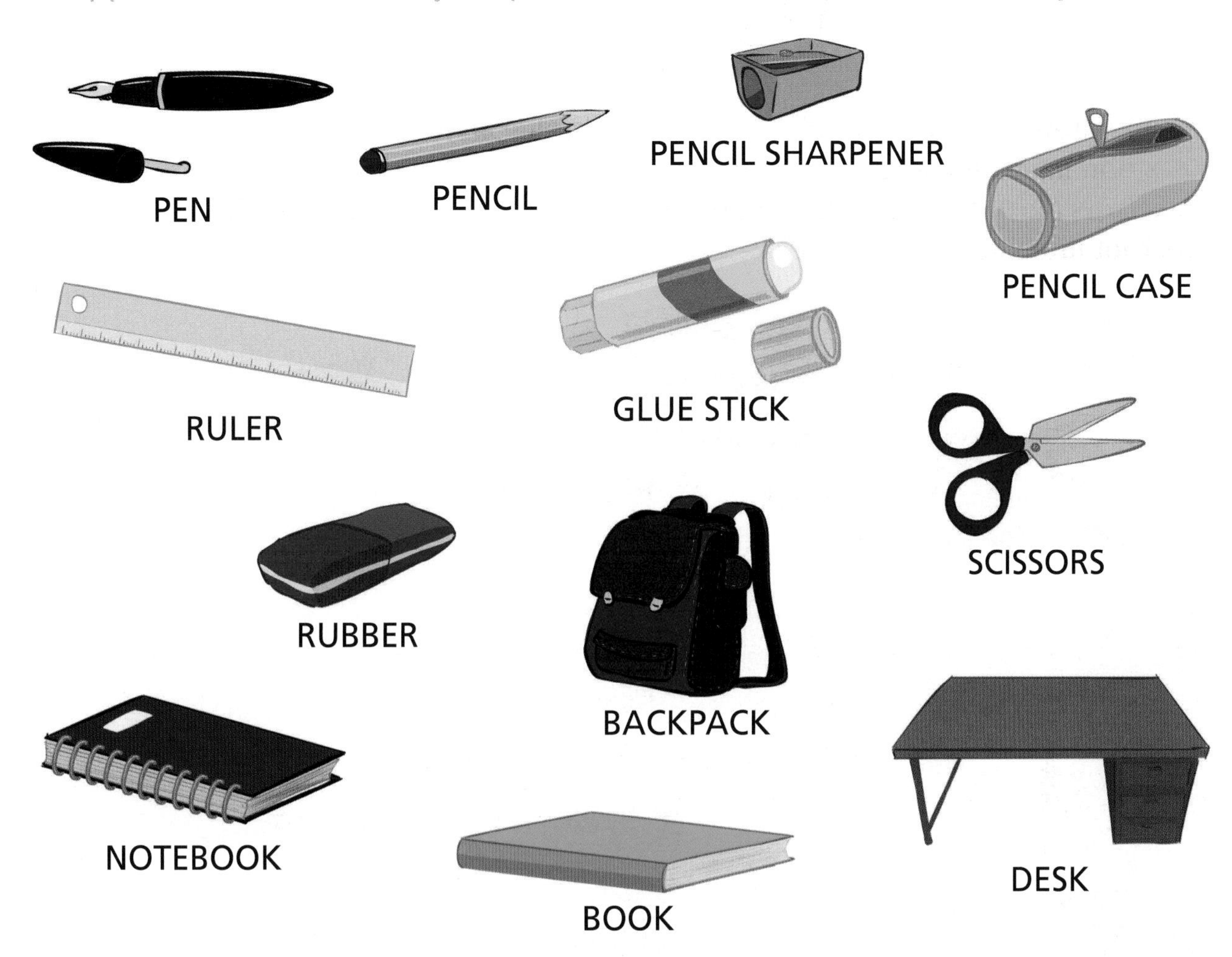

Possessive pronouns

Les pronoms possessifs

● Regarde bien : en anglais, tu utilises un seul mot au lieu de 2 ou 3 en français !

my	mon / ma / mes
your	ton / ta / tes
his	son / sa / ses (pour un garçon)
her	son / sa / ses (pour une fille)
our	notre / nos
your	votre / vos
their	leur / leurs

my **backpack**
mon sac à dos

my **ruler**
ma règle

my **notebooks**
mes cahiers

their **rubber**
leur gomme

their **pencils**
leurs crayons

Game: Andy's things

Jeu : Les affaires de Andy

■ Voici le bureau de Andy. Complète les étiquettes ci-dessous.

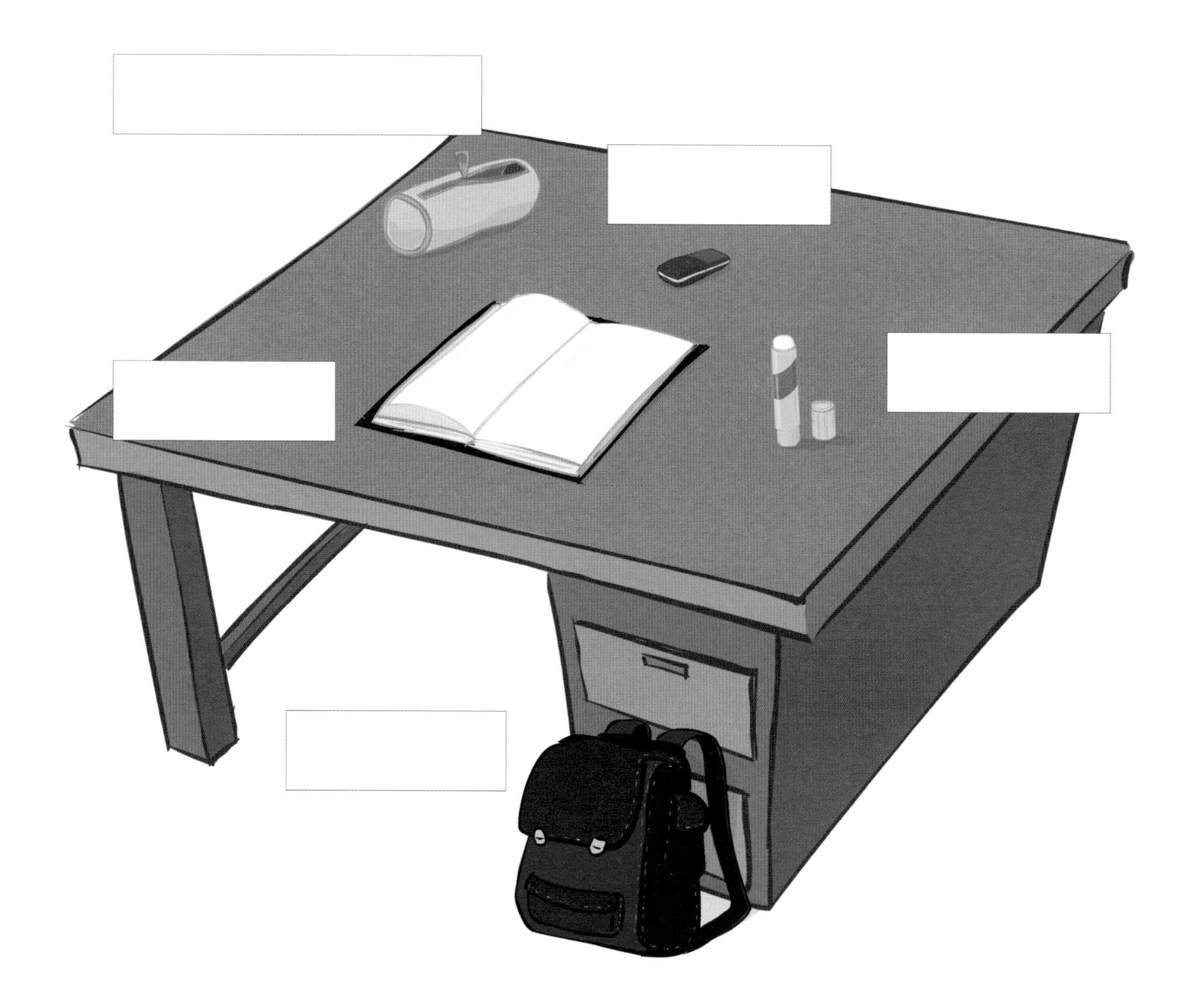

➤ **Va vite voir sur le site, un grand jeu t'attend !**
À la fin, écris ici le mot indice que tu auras obtenu : ....

Entraînement

1 Réécris chaque mot en mettant les lettres dans le bon ordre :

....

....

L P I E N C

....

....

....

2 Observe bien et écris les pronoms possessifs qui conviennent :

This is ___ ___ ___ book.

This is ___ ___ ___ pencil sharpener.

These are ___ ___ ___ glue sticks.

This is ___ ___ backpack.

Solve the Mystery!

Résoudre l'énigme !

Comme promis, Andy accompagne ses nouveaux amis à New Scotland Yard pour leur faire rencontrer son oncle. De Hyde Park, tous les quatre prennent un bus et arrivent devant un grand immeuble gris. À l'entrée, un policier vient les accueillir.

Identify the thief!

Identifie le voleur !

- Chloé, Sébastien et Sherlock ont besoin de toi pour résoudre cette enquête ! Voici les six suspects d'Oncle Henry.
  À ton avis, qui est le coupable ? Tu dois pouvoir le trouver grâce aux 13 indices que tu as obtenus. Va vite sur le site pour dénouer l'intrigue !

Tu as trouvé ? Bravo ?
Tu as résolu le mystère du vol de la couronne !

Révisions

des chapitres 11 à 13

❶ Choisis la bonne étiquette :

hamburger | cheese | broccoli | pasta | cake | ice cream

....

....

❷ Ces quatre animaux ont faim ! Relie-les à ce qu'ils aiment manger :

3 Complète les phrases avec les bons pronoms possessifs :

_ _ _ jacket is black.

_ _ _ dress is yellow.

_ _ _ T-shirt is blue.

_ _ _ _ _ shoes are brown.

4 Utilise la liste ci-dessous pour donner le nom de 3 vêtements que tu portes aujourd'hui :

- a T-shirt
- a pullover
- a shirt
- a dress
- a jacket
- a skirt
- trousers
- jeans
- shorts
- shoes

Today, I'm wearing ...., ... and ....

5 Complète les phrases au présent progressif :

She is read.........

He .... drawing.

We .... colour.........

You .... play.........

They .... listen.........

I .... swimm.........

6 Dessine les objets qui se trouvent dans la trousse de Andy :

one pencil – two rulers – three pens – one glue stick – one rubber

➤ Retourne sur le site et réponds au QUIZ 3 des Révisions !

Vocabulaire

A

a / an : un(e)
address : adresse
afternoon : après-midi
again : encore
age : âge
airplane : avion
and : et
animal : animal
another : un(e) autre
anything else : autre chose
April : avril
arm : bras
around : près de
article : article
at : à
August : août
aunt : tante
away : loin

B

backpack : sac à dos
bacon : bacon
ball : ballon
basketball : basket
bat : chauve-souris
to be : être
bear : ours
because : parce que
before : avant
bicycle : vélo
big : grand(e)
bird : oiseau
birthday : anniversaire
black : noir(e)
blue : bleu(e)
body : corps
bone : os
book : livre
boy : garçon
broccoli : brocoli
brother : frère
brown : marron
to buckle : lacer
building : bâtiment
bus (buses) : bus (pluriel)
but : mais
to buy : acheter

C

cab : taxi
cake : gâteau
camel : chameau
can : savoir faire / pouvoir faire
car : voiture
carrot : carotte
certainly : bien sûr
chapter : chapitre
cheese : fromage
chicken : poulet
child : enfant
children : enfants
choice : choix
Christmas : Noël
city : ville
classroom : salle de classe
clock : horloge
closed : fermé(e)
clothes : vêtements
cloudy : nuageux
coat : manteau
coffee : café
colour : couleur
to colour : colorier
to come : venir
confusing : drôle
to continue : continuer
conversation : conversation
country : pays
to court : courtiser
cousin : cousin(e)
criminal : criminel
crocodile : crocodile
crown : couronne
to cycle : faire du vélo
cycling : cyclisme

D

day : jour
December : décembre
to delve : fouiller
desert : désert
desk : bureau
dessert : dessert
to dig : creuser
dirty : sale
dog : chien
dolphin : dauphin
door : porte
down : en bas
to draw : dessiner
dress : robe
drink : boisson
drop : goutte

E

ear : oreille
Easter : Pâques
egg : œuf
eight : huit
eighteen : dix-huit
elephant : éléphant
eleven : onze
empty : vide
England : Angleterre
English : anglais(e)
excellent : excellent(e)

to excuse : excuser
eye : œil

F

face : visage
false : faux, fausse
family : famille
famous : célèbre
fat : gros(se)
father : père
Father's Day : fête des pères
favourite : préféré(e)
February : février
foot (feet) : pied(s)
field : terrain (de foot)
fifteen : quinze
to find : trouver
fine : bien
first : tout d'abord
fish : poisson
five : cinq
to follow : suivre
football : football
for : pour
four : quatre
fourteen : quatorze
French : français(e)
Friday : vendredi
friend : ami(e)
from : de
fruit : fruit(s)

G

game : jeu, match
Germany : Allemagne
to get : prendre
to get angry : se fâcher
giraffe : girafe
girl : fille
glass : verre
glue stick : tube de colle
to go : aller
good : bon(ne)
good afternoon : bonjour
goodbye : au revoir
good evening : bonsoir
good morning : bonjour
grandfather : grand-père
grandmother : grand-mère
grandparents : grands-parents
grass : pelouse
green : vert(e)
grey : gris(e)

H

hair : les cheveux
ham : jambon
hamburger : hamburger
hand : main
happy : joyeux(euse)
hat : chapeau
to have : avoir
he : il
head : tête
hello : bonjour
help! : au secours !
help : aide
to help : aider
hen : poule
her : son / sa / ses
here : ici
here is : voici
him : lui
his : son / sa / ses
house : maison
housetop : toit
how : comment
how much : combien
how old : quel âge
hump : bosse

I

I : je
ice cream : glace
to identify : identifier
immediately : immédiatement
in : à / dans / en
ingredient : ingrédient
is there...? : est-ce qu'il y a... ?
it : il / elle (objets, animaux)

J

jacket : veste
January : janvier
jeans : jean
juice : jus
July : juillet
June : juin
jungle : jungle
just : juste

K

kangaroo : kangourou
kitchen : cuisine
to know : savoir
koala : koala

L

£ (pound) : livre sterling
to lay : mettre
to leave : partir
left : à gauche
leg : jambe
leopard : léopard
to like : aimer
lion : lion
to listen : écouter
little : petit(e)
to live : habiter
London : Londres
to look : regarder
to look for : chercher
lost : perdu(e)
lunch : déjeuner

M

maid : demoiselle
man (men) : homme(s)
March : mars

match : match
May : mai
may I...? : puis-je... ?
me : moi
to meet : rencontrer
menu : menu
mine : pour moi, le mien
minute : minute
Monday : lundi
monkey : singe
month : mois
morning : matin
mother : mère
Mother's Day : fête des mères
mouth : bouche
my : mon / ma / mes

N

name : prénom
neck : cou
to need : avoir besoin de
never : ne... jamais
new : nouveau (elle)
news : nouvelle(s)
newspaper : journal
New Year's Day : le jour de l'An
nine : neuf
nineteen : dix-neuf
no : non
nose : nez
not : pas
notebook : cahier
November : novembre
now : maintenant
number : numéro

O

o'clock : heure(s)
ocean : océan
October : octobre
of : de
office : bureau
old : âgé(e)
on : sur
one : un
to open : ouvrir
or : ou bien
orange : orange
orange juice : jus d'orange
to order : commander
our : notre / nos
owl : hibou

P

palace : palais
parents : les parents
park : parc
to pass : passer
pasta : pâtes
pen : stylo
pencil : crayon
pencil case : trousse
pencil sharpener : taille-crayon
permanently : en permanence
photograph : photographie
to pick up : ramasser
pink : rose
pizza : pizza
plant : plante
plate : assiette
to play : jouer
please : s'il vous plaît / s'il te plaît
pleasure : plaisir
police : police
police officer : policier(ère)
potato : pomme de terre
potential : potentiel(le)
to pour : tomber à verse
to prefer : préférer
price : prix
princess : princesse
pullover : pull
purple : violet(te)
purse : sac à main

Q

queen : reine
question : question

R

rain : pluie
to rain : pleuvoir
to read : lire
ready : prêt(e)
really : vraiment
red : rouge
referee : arbitre
to remain : rester
rubber : gomme
rugby : rugby
ruler : règle

S

sad : triste
salad : salade
saleswoman : vendeuse
sandwich : sandwich
Saturday : samedi
sausage : saucisse
to say : dire
schedule : emploi du temps
school : école
scissors : ciseaux
to see : voir
to sell : vendre
September : septembre
service : service
seven : sept
seventeen : dix-sept
she : elle
shirt : chemise
shoe : chaussure
short : petit(e)
shorts : short
shoulder : épaule
to show : montrer
sign : panneau
sir : monsieur

sister : sœur
six : six
sixteen : seize
to ski : skier
skiing : ski
skirt : jupe
to snow : neiger
so : alors
some : du / de la / des
someone : quelqu'un
song : chanson
soup : soupe
Spain : Espagne
to speak : parler
spinach : des épinards
to spy : espionner
squirrel : écureuil
stadium : stade
statue : statue
steak : steak
stick : bâtonnet
stomach : ventre
stolen : volé(e)
to stop : arrêter
straight : droit
straight ahead : tout droit
stupid : stupide
Sunday : dimanche
sunny : ensoleillé(e)
sure : certain(e)
to surf : surfer
surfing : surf
suspect : suspect
to swim : nager
swimming : natation

T

to talk : parler
tall : grand(e)
taxi : taxi
tea : thé
telephone box : cabine téléphonique
ten : dix
tennis : tennis
thank you : merci
that : ce, cette
the : le / la / les
their : leur / leurs
them : les
then : puis
there : là
there is : il y a
these : ces
they : ils / elles
thief (thieves) : voleur(s)
thin : mince
thing : affaire
thirteen : treize
this : ce, cette
those : ces
three : trois
Thursday : jeudi
tiger : tigre
time : heure
to : à
today : aujourd'hui
tomato : tomate
tomorrow : demain
tower : tour
town : ville
tree : arbre
trousers : pantalon
true : vrai(e)
T-shirt : T-shirt
Tuesday : mardi
to turn : tourner
turtle : tortue de mer
twelve : douze
twenty : vingt
two : deux

U

uncle : oncle
us : nous

V

Valentine's Day : le jour de la Saint-Valentin
visit : visite
to visit : visiter

W

waiter : serveur(euse)
to wait : attendre
to want : vouloir
was : était (verbe être)
to wash : laver
watch : montre
we : nous
to wear : porter (un vêtement)
weather : météo
website : site Internet
wedding : mariage
Wednesday : mercredi
welcome : bienvenue
well : bien
whale : baleine
what : quel(le) / quoi
when : quand
where : où / d'où
which : quel(le)
white : blanc(he)
who : qui
why : pourquoi
will be : sera (verbe être)
windy : venteux
wolf : loup
woman (women) : femme(s)

Y

yellow : jaune
yes : oui
yesterday : hier
you : tu / vous
your : ton / ta / tes, votre / vos

Z

zebra : zèbre
zero : zéro
zoo : zoo

Traduction des dialogues et des chansons

CHAPTER 1 • page 6

Buckingham Palace

Le palais de Buckingham

LA REINE : *Au secours ! Police !*
LE VOLEUR : *J'ai votre couronne !*
LA REINE : *Il a ma couronne !*
LE VOLEUR : *Oui !*
LA REINE : *Non !*
LE VOLEUR : *Au revoir, reine !*
LA REINE : *Arrêtez le voleur !*

CHAPTER 2 • page 10

Meet Sherlock!

À la rencontre de Sherlock !

SHERLOCK : *Bonjour !*
CHLOÉ : *Bonjour...*
SHERLOCK : *Bonjour !*
SÉBASTIEN : *Bonjour...*
SHERLOCK : *Comment allez-vous ?*
CHLOÉ : *Heu...*
SHERLOCK : *Je m'appelle Sherlock. Comment vous appelez-vous ?*
SÉBASTIEN : *Heu...*

CHAPTER 3 • page 14

Who are you?

Qui es-tu ? / Qui êtes-vous ?

JANE : *Bonjour ! Je m'appelle Jane. Je suis une princesse. Qui êtes-vous ?*
SHERLOCK : *Je m'appelle Sherlock.*
CHLOÉ : *Je m'appelle Chloé.*
SÉBASTIEN : *Je m'appelle Sébastien.*
JANE : *Où habitez-vous ?*
SHERLOCK : *J'habite à Londres.*
CHLOÉ : *J'habite à Aix-en-Provence.*
JANE : *D'où venez-vous ?*
SHERLOCK : *Je viens d'Angleterre.*
SÉBASTIEN : *Je viens de France.*

CHAPTER 4 • page 18

The Big Clock

La grande horloge

SHERLOCK : *Bonjour petit hibou !*
CHLOÉ : *Bonjour !*
OLIVER : *... Oh, bonjour ! Quelle heure est-il, s'il vous plaît ?*
SHERLOCK : *Il est deux heures.*
OLIVER : *Ma fête d'anniversaire est à 4 h aujourd'hui, vous savez...*
SHERLOCK : *Vraiment ? Bon anniversaire !*
OLIVER : *Merci !*
SHERLOCK : *Quel âge avez-vous ?*
OLIVER : *J'ai neuf ans ! Un, deux, trois, quatre, cinq, six, sept, huit, neuf !*

CHAPTER 5 • page 22

Piccadilly Circus

Piccadilly Circus

LA FEMME : *Au secours ! Un voleur !*
L'HOMME : *Il a ma montre grise !*
LA FEMME : *... et mon sac à main violet !*
SHERLOCK : *... et la couronne jaune de la reine !*
CHLOÉ : *Arrête le voleur, Sherlock !*
SHERLOCK : *Woof ! Woof !*

LE VOLEUR : *Chien stupide !*
LA FEMME : *Non ! Il est dans le bus rouge !*
LE VOLEUR : *Au revoir !*

CHAPTER 6 • page 26

The Tower of London
La Tour de Londres

BILLY LE BEEFEATER : *Arrêtez ! Vous avez un chien !*
CHLOÉ : *Oui… ?*
BILLY LE BEEFEATER : *Pas de chien dans la Tour de Londres !*
SÉBASTIEN : *Quoi ? Pourquoi pas ?*
BILLY LE BEEFEATER : *Les chiens ont le nez sale !*
SHERLOCK : *Non !*
BILLY LE BEEFEATER : *Les chiens ont les pieds sales !*
SHERLOCK : *Non !*
BILLY LE BEEFEATER : *Partez immédiatement, s'il vous plaît !*

CHAPTER 7 • page 34

A Newspaper Article
Un article de journal

LONDON CITY NEWS

Où est la couronne de la reine ?

Dimanche 11 juillet

Le temps est nuageux cet après-midi à Londres. La reine est triste parce qu'elle n'a pas sa couronne jaune ! Où est-elle ? Qui l'a ? Les policiers de New Scotland Yard continuent à chercher la couronne. Ils veulent la trouver demain ou avant jeudi.

CHAPTER 8 • page 38

The Squirrels
La famille Écureuil

SHERLOCK : *Bonjour ! Je m'appelle Sherlock. Qui êtes-vous ?*
SAMMY : *Je m'appelle Sammy.*
SARAH : *Je suis la mère de Sammy, Sarah.*
STUART : *Je suis le père de Sammy, Stuart.*
SAMMY : *Nous sommes la famille Écureuil !*
SHERLOCK : *Est-ce qu'il y a un voleur près d'ici ?*
SAMMY : *Oui, il est au stade de foot !*
SHERLOCK : *Où est le stade ?*
SAMMY : *Tournez à gauche. Puis continuez tout droit !*

CHAPTER 9 • page 42

A Football Game
Un match de foot

ARBITRE 1 : *Le numéro 5 a le ballon !*
ARBITRE 2 : *Il le passe au numéro 3…*
ARBITRE 1 : *Le numéro 3 passe le ballon au numéro 7…*
ARBITRE 2 : *Hé, regardez ! Il y a un homme sur le terrain !*
ARBITRE 1 : *Un homme ? Qui est-ce ?*
ARBITRE 2 : *Je ne sais pas !*
ARBITRE 1 : *Sait-il jouer au foot ?*
ARBITRE 2 : *Non !*
ARBITRE 1 : *Que quelqu'un arrête le match !*

CHAPTER 10 • page 46

London Zoo
Le zoo de Londres

KRISTINA : *Excusez-moi, mais vous ne pouvez pas visiter le zoo aujourd'hui.*
SHERLOCK : *Pourquoi ?*
KRISTINA : *Aujourd'hui, c'est lundi !*
SÉBASTIEN : *Et alors ?*

KRISTINA : Le zoo est fermé ! Ne pouvez-vous pas lire le panneau ?

CHLOÉ : Quel panneau ?

KRISTINA : Ce panneau, là !

SHERLOCK : Ce panneau, ici ?

KRISTINA : Oui. Il dit que le zoo est fermé le lundi ! Veuillez partir avant que ce lion se fâche !

CHAPTER 11 • page 54

Tea Time

L'heure du thé

SERVEUR : Bonjour. Êtes-vous prêts à commander ?

SHERLOCK : Oui. Je veux un os, s'il vous plaît !

SERVEUR : Juste un os, monsieur ?

SHERLOCK : Oui. J'aime les os !

SERVEUR : Et pour vous, les enfants ?

CHLOÉ : Je veux un thé, s'il vous plaît.

SÉBASTIEN : Je n'aime pas le thé. Je préfère un jus d'orange ! Je veux un verre de jus d'orange, s'il vous plaît.

SERVEUR : Quelque chose d'autre ?

SHERLOCK : Non, merci.

CHAPTER 12 • page 58

The Stolen Watch and Purse

La montre et le sac à main volés

VENDEUSE : Bonjour. Puis-je vous aider ?

SHERLOCK : Oui. Nous voulons voir cette montre et ce sac à main.

VENDEUSE : Excellent choix ! Je les vends pour un bon prix aujourd'hui !

SHERLOCK : Combien coûte la montre ?

VENDEUSE : Elle coûte £20.

SHERLOCK : Combien coûte le sac à main ?

VENDEUSE : Il coûte £10.

SHERLOCK : Je les achète ! Voici £30.

VENDEUSE : Merci !

CHAPTER 13 • page 62

A Visit to a School

Visite à l'école

ANDY : Bonjour. Êtes-vous perdus ?

CHLOÉ : Non... Nous cherchons un voleur !

ANDY : Le voleur qui a la couronne de la reine ?

SÉBASTIEN : Oui !

ANDY : Mon oncle cherche cet homme. Il est policier à New Scotland Yard !

CHLOÉ : Ton oncle est policier ?

SHERLOCK : C'est une excellente nouvelle ! Pouvons-nous le rencontrer ?

ANDY : Bien sûr ! Mais avant, je vais chercher mon sac à dos dans ma classe.

CHAPTER 14 • page 66

Solve the Mystery!

Résoudre l'énigme

ONCLE HENRY : Bonjour, les enfants ! Bienvenue à New Scotland Yard !

ANDY : Oncle Henry, ce sont mes amis, Sherlock, Chloé et Sébastien. Ils peuvent nous aider à identifier le voleur !

CHLOÉ : Bonjour, monsieur.

SÉBASTIEN : Bonjour, monsieur.

SHERLOCK : Sherlock Dog, à votre service.

ONCLE HENRY : Le célèbre Sherlock Dog ? Quel plaisir de vous rencontrer, monsieur !

SHERLOCK : Tout le plaisir est pour moi, soyez-en certain.

ANDY : Oncle Henry a les photographies de six suspects potentiels.

ONCLE HENRY : Et nous avons besoin de votre aide pour identifier le criminel ! Suivez-moi dans mon bureau, s'il vous plaît...

Traduction des chansons

CHAPTER 2 • page 12

Hello!

Bonjour !

Bonjour, bonjour, bonjour, comment vous appelez-vous ?
Je m'appelle Mary, je m'appelle Mary.
Bonjour Mary, bonjour Mary, bonjour !

Bonjour, bonjour, bonjour, comment vous appelez-vous ?
Je m'appelle Peter, je m'appelle Peter.
Bonjour Peter, bonjour Peter, bonjour !

CHAPTER 4 • page 20

One, two, buckle my shoe

Un, deux, je fais mon lacet

Un, deux,
Je fais mon lacet.
Trois, quatre,
J'ouvre la porte.
Cinq, six,
Je ramasse les bâtonnets.
Sept, huit,
Je les mets droits.
Neuf, dix,
Une grande grosse poule.
Onze, douze, creuse et fouille.
Treize, quatorze, demoiselles qui courtisent.
Quinze, seize, demoiselles dans la cuisine.
Dix-sept, dix-huit, demoiselles au salon.
Dix-neuf, vingt, mon assiette est vide !

CHAPTER 7 • page 36

Rain, rain, go away!

Pluie, pluie, disparaîs !

Pluie, pluie, disparaîs,
Reviens un autre jour...
Pluie, pluie, disparaîs,
Le petit Johnny veut jouer.

Pluie, pluie, va en Espagne,
Ne montre plus jamais ton visage.
Pluie, pluie, tombe,
Mais pas une goutte sur notre ville.

Pluie sur la pelouse verte,
Et pluie sur l'arbre,
Et pluie sur le toit de la maison,
Mais pas sur moi.

Pluie, pluie, disparaîs,
Reviens le jour de la lessive.
Pluie, va en Allemagne,
Reste là-bas pour toujours.

Pluie, pluie, disparaîs,
Reviens le jour du mariage de Martha !

CHAPTER 10 • page 48

Alice the camel

Alice le chameau

Alice le chameau a 5 bosses. (3 fois)
Alors, vas-y, Alice, vas-y !
Alice le chameau a 4 bosses. (3 fois)
Alors, vas-y, Alice, vas-y !
Alice le chameau a 3 bosses. (3 fois)
Alors, vas-y, Alice, vas-y !
Alice le chameau a 2 bosses. (3 fois)
Alors, vas-y, Alice, vas-y !
Alice le chameau a 1 bosse. (3 fois)
Alors, vas-y, Alice, vas-y !
Alice le chameau n'a pas de bosses. (3 fois)
Maintenant, Alice est un cheval !

Corrigés

Page 8 • Game: Find the words!

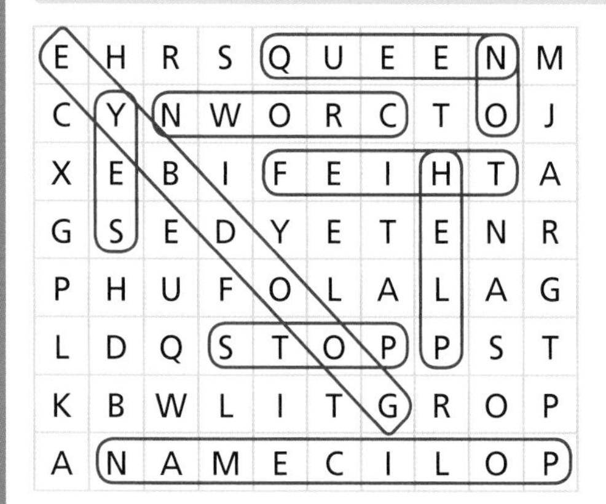

E	H	R	S	Q	U	E	E	N	M
C	Y	N	W	O	R	C	T	O	J
X	E	B	I	F	E	I	H	T	A
G	S	E	D	Y	E	T	E	N	R
P	H	U	F	O	L	A	L	A	G
L	D	Q	S	T	O	P	P	S	T
K	B	W	L	I	T	G	R	O	P
A	N	A	M	E	C	I	L	O	P

Page 9 • *Entraînement*

1

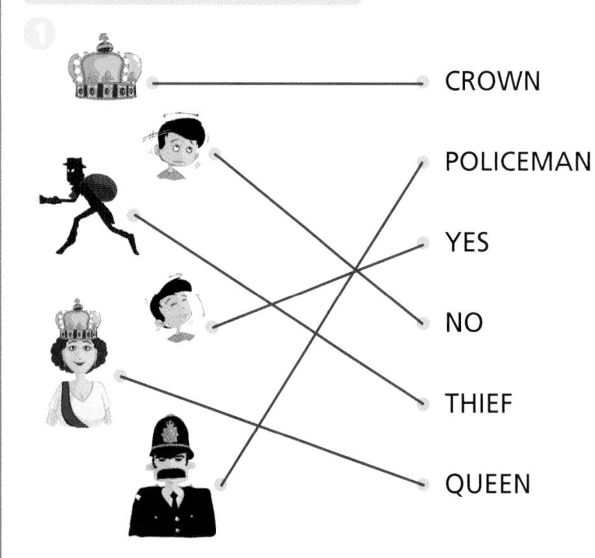

2 Je / I. Tu / You. Nous / We. Elle / She. Il / He. Vous / You. Elles-Ils / They. Il / it.

Page 12 • Game: Sherlock's secret message!

Le message secret de Sherlock est : Good afternoon. My name is Sherlock.

Page 13 • *Entraînement*

1 HELLO! HOW ARE YOU? WHAT'S YOUR NAME? MY NAME IS... *(écris ton prénom ici).*

2 TO LEAVE : I leave, You leave, He / She leaves, We leave, You leave, They leave.
TO WANT : I want, You want, He / She wants, We want, You want, They want.

Page 16 • Game: Confusing conversations!

What's your name? My name is Sébastien. / Who are you? I'm Chloé. / Where do you live? I live in Aix-en-Provence. / Where are you from? I'm from France.

Page 17 • *Entraînement*

1 I'M JANE. I LIVE IN LONDON.
I'M FROM ENGLAND. I SPEAK ENGLISH.
I'M A PRINCESS. I'M FINE.

2 What's your name? How are you?
Who are you? Where do you live?
Where are you from?

Page 20 • Game: Oliver's schedule

It's eight o'clock (8 h). It's ten o'clock (10 h). It's twelve o'clock (12 h). It's four o'clock (4 h). It's seven o'clock (7 h). It's eleven o'clock (11 h).

Page 21 • *Entraînement*

1 Oliver is nine. Chloé is ten. Sébastien is eight. I'm ... *(écris ton âge ici).*

2 The tall tower. The short owls.
The happy dog. The sad queen.

Page 24 • Game: I spy...

Tu dois trouver : un voleur habillé en noir (black thief), une montre grise (grey watch), un sac à main violet (purple purse), une couronne jaune (yellow crown), un chien marron (brown dog) et un bus rouge (red bus).

Page 25 • *Entraînement*

1 Tu dois colorier : The **black** cab. The **red** telephone box. The green statue. The yellow sign. The blue bicycle. The grey building.

2 an airplane. a boy. a girl. a house.
a glass. an ice cream.

Page 28 • Game: Who is it?

He has yellow hair. He has blue eyes.
He has a big nose. Who is it? Billy.

He has brown hair. He has green eyes.
He has little ears. Who is it? Richard.
He has black hair. He has black eyes.
He has a short neck. Who is it? Charles.

Page 29 • *Entraînement*

1

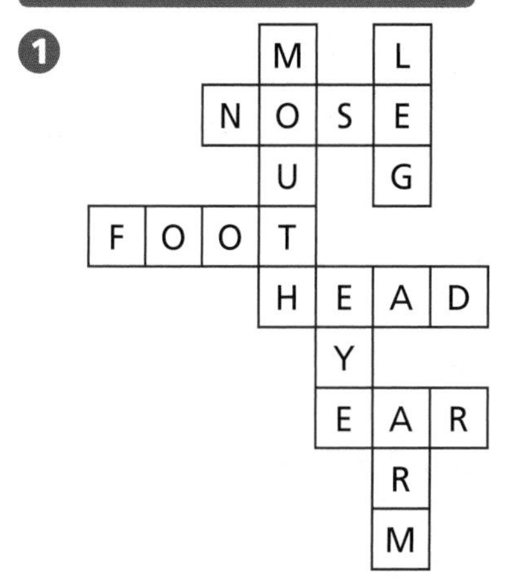

2 I have four legs. We have two ears.
She has two shoulders. He has one nose.

Pages 32-33 • Révisions des chapitres 1 à 6

1 She speaks English. He wants the crown.
You live in London. I'm from France.
They leave the palace. We are from England.

2 WHERE ARE YOU FROM? WHAT'S YOUR NAME? WHERE DO YOU LIVE? WHAT TIME IS IT? HOW OLD ARE YOU? WHEN IS YOUR BIRTHDAY?

3 one owl. three owls. five owls. one owl + two owls = three owls. three owls + four owls = seven owls.

4 Chloé has yellow hair. Chloé has blue eyes. Chloé has a thin neck. Sébastien has black hair. Sébastien has blue eyes. Sébastien has a little nose.

5 Exemple de réponse : Name: Julien.
Age: nine. Address: 33, avenue Voltaire.
City: Lyon. Country: France.

Page 36 • Game: What's the weather like in England?

Tu dois relier : *It's sunny* à la ville de Newcastle, *It's cloudy* à la ville de London (Londres), *It's raining* à la ville de Bath, et *It's windy* à la ville de Liverpool.

Page 37 • *Entraînement*

1 Today is Monday. Yesterday was Sunday.
Tomorrow will be Tuesday.

Today is Friday. Yesterday was Thursday.
Tomorrow will be Saturday.

Today is Tuesday. Yesterday was Monday.
Tomorrow will be Wednesday.

2 newspaper / newspapers. car / cars.
tree / trees. policeman / policemen.
queen / queens. crown / crowns.

Page 40 • Game: My family tree

Voici ce que tu peux écrire dans les étiquettes : ME : ton prénom, SISTER(S) : les prénoms de tes sœurs, BROTHER(S) : ceux de tes frères, COUSIN(S) : ceux de tes cousins / cousines, MOTHER : ta mère, FATHER : ton père, AUNT(S) : tes tantes, UNCLE(S) : tes oncles, GRANDMOTHER(S) : tes grands-mères, GRANDFATHER(S) : tes grands-pères.

Page 41 • *Entraînement*

1 Sammy has one sister. Sammy has one brother. Sally has two brothers. Scott has three cousins. Sarah and Stuart have three children.

2 He is the brother. She is the sister. We are the parents. They are the grandparents.

Page 44 • Game: Can they play...?

Sherlock can play football: FALSE. Chloé can play tennis: TRUE. Sébastien can ski: FALSE. Sherlock can play basketball: FALSE. Chloé can surf: FALSE. Sébastien can cycle: TRUE.

Page 45 • *Entraînement*

1 Exemples de réponses : I can play tennis. I can't play football. I can't play rugby. I can't play basketball. I can't surf. I can ski. I can cycle. I can swim.

2 to play football. to swim. to cycle. to play tennis. to play rugby. to ski.

Page 48 • Game: Animal talk!

La baleine dit « I can swim ». Le zèbre dit « I'm black and white ». L'éléphant dit « I have a big grey nose ». Le chameau dit « I live in the desert ».

Page 49 • *Entraînement*

1. LION. FISH. TURTLE. BEAR. DOLPHIN. BIRD.

2. This LEOPARD. This CROCODILE. These KANGAROOS. Those GIRAFFES. Those BATS. That WOLF.

Pages 52-53 • Révisions des chapitres 7 à 10

1. New Year's Day : January. Valentine's Day : February. Easter : March or April. Mother's Day : May. Father's Day : June. Christmas : December.

2. It's sunny. It's snowing. It's raining.

3. dogs. owls. koalas. buses. children. thieves.

4. Sherlock is a dog. Jane is a princess. Oliver is an owl. Kristina is a koala. Chloé and Sébastien are children. Sammy, Sarah and Stuart are squirrels.

5. FOOTBALL: English. TENNIS: French. CYCLING: French. RUGBY: English.

6. Sherlock can't play football. Sébastien can cycle. Chloé can't surf. Jane can play tennis. Oliver can ski. Billy can play rugby.

7. It's a monkey. It's a fish. It's a tiger.

Page 56 • Game: Sherlock's favourite pizza

Tu dois dessiner du jambon (ham), du poulet (chicken), du bacon (bacon), des saucisses (sausages) et des os (bones) sur la pizza de Sherlock.

Page 57 • *Entraînement*

1. Sherlock likes sausages. Sherlock doesn't like spinach. Chloé likes chicken. Chloé doesn't like carrots. Sébastien likes orange juice. Sébastien doesn't like tea.

2. Exemples de réponses : Do you like broccoli? No, I don't. Do you like hamburgers? Yes, I do. Do you like ice cream? Yes, I do. Do you like cheese? Yes, I do. Do you like coffee? No, I don't. Do you like eggs? No, I don't.

Page 60 • Game: Sherlock's new clothes!

Tu dois colorier : a grey hat (un chapeau gris), a **black** jacket (une veste noire), orange shorts (un short orange), a yellow coat (un manteau jaune).

Page 61 • *Entraînement*

1. How much is the jacket? It's £40. How much is the hat? It's £10. How much is the dress? It's £30. How much is the skirt? It's £20. How much is the T-shirt? It's £5. How much is the coat? It's £50.

2. **TO GO:** I'm going, You are going, He / she is going, We are going, You are going, They are going. **TO READ:** I'm reading, You are reading, He / she is reading, We are reading, You are reading, They are reading. **TO LOOK FOR:** I'm looking for, You are looking for, He / she is looking for, We are looking for, You are looking for, They are looking for.

Page 64 • Game: Andy's things

Les 5 étiquettes sont : PENCIL CASE, NOTEBOOK, RUBBER, GLUE STICK, BACKPACK.

Page 65 • *Entraînement*

1. PEN, PENCIL, RULER, SCISSORS, DESK.

2. This is his book. This is her pencil sharpener. These are our glue sticks. This is my backpack.

Pages 68-69 • Révisions des chapitres 11 à 13

1. pasta (pâtes), broccoli (brocoli), hamburger (hamburger), cheese (fromage), cake (gâteau), ice cream (glace).

2. L'ours dit « J'aime le poisson. » Le singe dit « J'aime les fruits. » La tortue dit « J'aime les épinards. » Le lion dit « J'aime le poulet. »

3. His jacket is black. Her dress is yellow. His T-shirt is blue. Their shoes are brown.

4. Exemple de réponse : Today, I'm wearing a T-shirt, jeans and shoes.

5. She is reading. He is drawing. We are colouring. You are playing. They are listening. I am swimming.

6. Tu dois dessiner : un crayon, deux règles, trois stylos, un tube de colle et une gomme dans la trousse de Andy.

Achevé d'imprimer par Graficas Estella - Espagne - Dépôt légal 99583 5/01 - Décembre 2015